SI HIPPOCRATE VOYAIT ÇA !

Pr Jean Bernard (extraits)

Vieillir : entretiens avec Antoine Hess, Calmann-Lévy, 2001.
L'Avenir de la médecine : entretiens avec Martine Leca, Buchet Chastel, 2000.
Variations sur la création (avec Brigitte Donnay), Le Pommier, 1999.
La Médecine du futur, Le Cherche Midi éditeur, 1998.
Et l'âme ? demande Brigitte, Buchet Chastel, 1997.
La Médecine de demain, Flammarion, 1996.
Le Sang et l'histoire, Buchet Chastel, 1995.
Médecin dans le siècle, Laffont, 1994.
La Bioéthique, Flammarion, 1994.
Qu'est-ce que la médecine ? (avec Florence Noiville), Le Seuil, 1993.
Espoirs et sagesse de la médecine, Odile Jacob, 1993.
De la biologie à l'éthique, Buchet Chastel, 1990.
Évolution de la bioéthique, Éditions universitaires de Fribourg, 1989.
C'est de l'homme qu'il s'agit, Odile Jacob, 1988.
L'Espérance ou le nouvel état de la médecine, Buchet Chastel, 1978.

Pr d'André Langaney

L'Injustice racontée à ma fille, Plon, 2000.
La Philosophie... biologique, Belin, 1999.
La Plus Belle Histoire de l'homme (en collaboration), Le Seuil, 1998.
Tous parents, tous différents (en collaboration), Laboratoire d'anthropologie biologique, Musée de l'homme et Université de Genève, 1995.
Le Sauvage central, Chabaud, 1991.
Les Hommes, Armand Colin, 1988.
Le Sexe et l'innovation, Le Seuil, 1987.

www.editions-jclattes.fr

Pr Jean Bernard
Pr André Langaney
Avec Cécile Lestienne

SI HIPPOCRATE VOYAIT ÇA !

JC Lattès

Sommaire

Avant-propos

« Je promets et je jure d'être fidèle aux lois de l'honneur et de la probité dans l'exercice de la Médecine. Je donnerai mes soins gratuits à l'indigent et n'exigerai jamais un salaire au-dessus de mon travail. Admis dans l'intérieur des maisons, mes yeux ne verront pas ce qui s'y passe, ma langue taira les secrets qui me seront confiés, et mon état ne servira pas à corrompre les mœurs ni à favoriser le crime. Respectueux et reconnaissant envers mes Maîtres, je rendrai à leurs enfants l'instruction que j'ai reçue de leurs pères. Que les hommes m'accordent leur estime si je suis fidèle à mes promesses ! Que je sois couvert d'opprobre et méprisé de mes confrères si j'y manque. »

Pendant près de deux millénaires et demi, l'esprit du serment d'Hippocrate[1] a régi la bonne pratique médicale. Probité et dévouement du médecin, préserver la vie, ne pas nuire, respecter les personnes malades, leurs intérêts, leur vie privée et le secret médical, être juste... des principes

---

1. Ici dans une version abrégée. Voir la version antique, dans la traduction d'Émile Littré, page 169.

simples et généreux largement à la hauteur d'une médecine qui, pour être compatissante, était le plus souvent parfaitement inefficace. Mais le siècle qui vient de se terminer a vu s'opérer une formidable révolution : en quelques dizaines d'années, la médecine a plus évolué que pendant les vingt-cinq siècles précédents. Avec les résultats spectaculaires que l'on connaît : dans les pays privilégiés au moins les enfants ne meurent plus de diphtérie, ni de dysenterie, ni de rougeole. Le scorbut, l'anémie pernicieuse ont disparu. Les syphilis du troisième degré aussi. Personne n'a peur de voir un simple furoncle dégénérer en septicémie mortelle. De nombreux couples, malgré leur problème de stérilité, sont maintenant d'heureux parents. L'espérance de vie a augmenté dans des proportions auxquelles on n'aurait jamais osé rêver au temps de Pasteur : la moitié des petites filles qui naissent aujourd'hui souffleront leurs cent bougies !

Dans le même temps, en quittant l'ère de l'impuissance pour entrer dans celle de l'efficacité, les sciences biomédicales ont progressivement acquis un pouvoir stupéfiant sur le corps humain, et plus largement sur le monde du vivant, qui n'est pas sans soulever de vives inquiétudes. Les remarquables avancées dans les domaines de la biologie, des biotechnologies, de la génétique... posent de difficiles problèmes aux médecins et aux chercheurs bien sûr, mais aussi aux juristes, aux pouvoirs publics, aux citoyens. À lui seul l'événement médiatique créé par l'annonce intempestive des premiers bébés prétendus clonés suffirait à le démontrer. Ainsi la bioéthique donne certainement une ampleur inédite à l'éternel questionnement de l'Homme sur lui-même et sur sa dignité.

OGM, thérapies géniques, droits du malade, enfant à trois mères, à deux pères... Euthanasie, gestion du risque, principe de précaution, sans oublier bien sûr la saga de la procréatique humaine qui n'a pas fini de bousculer les consciences... Tous les jours, ou presque, les médias font écho à ces nouveaux sujets d'interrogations en nous livrant une de ces histoires étonnantes, dérangeantes, effrayantes, plaisantes, émouvantes... qui secouent nos valeurs et nos principes moraux.

Souvenez-vous de Jeanine et Robert. Lorsque Jeanine donne naissance à son fils, Benoît-David, elle a soixante-deux ans. L'enfant a été conçu en éprouvette avec le sperme de son frère Robert et l'ovule d'une donneuse. Le petit garçon n'a que quelques jours lorsque le frère et la sœur s'envolent pour les États-Unis chercher « sa jumelle », Marie-Cécile, conçue dans la même éprouvette mais née d'une mère porteuse. Un bel imbroglio familial qui a défrayé la chronique. Tout comme Adam, né pour sauver sa sœur Molly atteinte d'une grave maladie héréditaire et dont la seule chance de survie était une greffe de moelle compatible.

Il y a des histoires bien plus tristes comme celle de ce couple d'Américains qui a commandé un enfant à une mère porteuse anglaise. La jeune femme, enceinte de jumeaux, fit un procès à ses commanditaires parce qu'ils ne voulaient prendre qu'un seul des bébés « comme prévu dans le contrat... ». Et celle de Diane. Condamnée à mourir dans la déchéance physique, Diane Pretty est allée, sans succès, jusqu'au parlement européen dans son fauteuil roulant pour qu'on l'aide à passer avant l'heure. Celle des parents Perruche : une longue bataille pour demander réparation au nom de leur fils né gravement handicapé parce que sa mère avait contracté pendant sa grossesse une rubéole non diagnostiquée...

Bien sûr, la société ne reste pas passive devant tous ces problèmes : la presse glose régulièrement sur le sujet, le comité consultatif national d'éthique rend ses avis, les assemblées légifèrent, les tribunaux tentent d'appliquer la loi, les associations de parents, de malades, de consommateurs, d'écologistes font entendre leurs voix parfois discordantes... Pas toujours facile de se retrouver dans ce brouhaha hautement médiatisé... Comment se forger une opinion ? Il n'y a pas de prêt-à-penser dans ce domaine. Pas de dogme, pas une vérité mais un débat permanent nourri de connaissances, de faits, d'opinions, de réflexions en perpétuel bouillonnement. Pour nourrir la discussion nous avons provoqué la rencontre de deux personnalités de choix. Deux humanistes qui ont accepté de débattre devant nous et de commenter ensemble quelques histoires glanées dans les journaux. Le Pr Jean Bernard, médecin, célèbre hématologue à l'origine des premières guérisons d'enfants leucémiques. Homme de lettres, membre de l'Académie française, il a présidé pendant neuf ans le premier Comité consultatif national d'éthique. Pour avoir traversé le siècle qui vient de s'écouler et vécu de formidables révolutions médicales, il a un regard incomparable sur l'histoire du questionnement qui nous préoccupe aujourd'hui. En face, le Pr André Langaney, biologiste, spécialiste de la génétique des populations, professeur au Muséum national d'histoire naturelle et à l'université de Genève. Un chercheur qui ne faillit jamais à sa réputation de trublion aimant mettre les pieds dans le plat mais pas sa langue dans sa poche. Tantôt ces deux hommes de culture ont résolument campé sur des positions inconciliables. Tantôt ils se sont rapprochés... Parfois ils se sont retrouvés sur des points inattendus : comme la remise en cause du principe de légiférer sur la bioéthique (ce qui ne manquera pas de surprendre en ces temps où ces lois font débat au parlement).

Voici donc la transcription d'une discussion passionnée que Jean Bernard et André Langaney ont envie de partager avec le public le plus large possible. Car, dans les années à venir, la vivacité du débat bioéthique sera une marque de la vivacité de notre démocratie.

C. L.

La bioéthique et la loi
ne font pas toujours bon ménage

« Des lois inapplicables et inutiles. »

CÉCILE LESTIENNE : *Professeur Jean Bernard, avant d'entamer le débat avec le Pr André Langaney, j'aimerais que vous nous donniez votre définition de la bioéthique*

JEAN BERNARD : C'est une question très difficile. La bioéthique est apparue assez récemment dans notre vocabulaire. Pendant très longtemps on n'a parlé que de morale. Lorsque j'étais écolier dans la petite école communale de Coëron en Loire inférieure, il y avait deux heures de morale par semaine. Et puis la morale a déplu. On a abandonné les leçons et le terme est devenu désuet, suranné, poussiéreux. Mais par un curieux phénomène de langage, c'est alors qu'a surgi – ou resurgi – le mot éthique qui en grec signifie « science de la morale ».

Toutefois l'éthique est différente de la morale traditionnelle car elle implique une réflexion critique sur les comportements. Il ne s'agit pas tant d'édicter des règles de conduite, de distinguer le bien du mal, que de s'interroger sur les principes et d'en discuter. Loin du fanatisme et de l'immobilisme, l'éthique suppose un profond questionnement. C'est l'expression de la mesure dans tous les domaines. Mais aujourd'hui dans le langage courant, les termes éthique et bioéthique sont devenus presque synonymes à cause du développement des problèmes posés par la biologie et la médecine.

ANDRÉ LANGANEY : J'ajouterai que la différence, à l'origine, entre la morale et l'éthique était que l'éthique se présentait comme une morale interne, professionnelle et spécialisée. On parlait d'éthique dans certaines professions, aussi bien dans la justice ou dans la médecine que dans des professions plus techniques. Le paradoxe, justement, quand on a fondé les comités d'éthique qui s'intéressaient d'abord et en priorité aux problèmes médicaux, était que, pour la première fois, on ouvrait les discussions sur la morale interne médicale à des non-médecins.

J.B. : C'est bien ce qui m'a semblé le plus intéressant lorsque le gouvernement français a mis sur pied le Comité consultatif national d'éthique que j'ai eu l'honneur de présider. Depuis sa création, ce comité est composé pour moitié de médecins et de biologistes. Et pour l'autre moitié de personnes qui sont étrangères à ces disciplines : philosophes, légistes, théologiens, etc. Et si vous saviez l'incroyable différence qu'il y a entre ces deux groupes ! C'est tout à fait passionnant. Je me souviens par exemple des séances où nous avons abordé la question bien connue en médecine de l'essai d'un nouveau médicament. Depuis des dizaines d'années on procède toujours de la même façon : par tirage au sort. Pendant tout le temps de l'essai, la moitié des malades concernés prend le vieux médicament, l'autre moitié prend la nouvelle molécule. Eh bien les membres non-médecins du comité étaient scandalisés par cette méthode. Et en particulier les révoltait l'idée que l'on ne tienne pas compte des individus, que l'on ne traite pas en priorité celui-là plutôt que tel autre, bref que d'une certaine façon on sacrifie les patients présents aux malades du futur... J'ai mis beaucoup de temps, en tant que président, à leur expliquer que cette procédure est un moindre mal. Que faute de ce tirage au sort, on n'aurait aucun moyen d'évaluer ce que vaut le nouveau médicament et l'on perdrait l'espoir d'améliorer vraiment le traitement des patients. C'est ce qui est arrivé avec le vaccin de Calmette, le fameux BCG. Au soir de sa vie, Albert Calmette désirait tellement observer, de son vivant, les effets du vaccin auquel il avait consacré tant d'années de labeur qu'on a lancé les campagnes de vaccination sans essais comparés. Résultat : des dizaines d'années de polémiques avant qu'on ne reconnaisse la qualité du BCG et un retard considérable pendant lequel la tuberculose a continué à provoquer de grands malheurs. L'exercice de la médecine vous entraîne à des actes qui vous paraissent très naturels... mais qui sont loin d'être évidents pour tout le monde. Il est fort enrichissant d'en discuter avec des personnalités étrangères au domaine.

C.L. : *Oui mais vous n'allez pas me dire que les médecins d'avant la création du CCNE en 1983 étaient dépourvus de conscience morale !*

J.B. : Non bien sûr ! Depuis Hippocrate, les médecins ont observé – peu ou prou – une morale médicale. Mais elle était limitée à quelques règles simples : générosité, compassion, dévouement, désintéressement. Cela a duré deux millénaires et demi. Soudain, dans la deuxième moitié du XXe siècle, les progrès de la recherche et de la médecine ont posé des problèmes jusque-là inconnus pour lesquels on n'avait pas de solutions dans les vieilles règles d'autrefois. C'est ainsi qu'on a vu naître la bioéthique. Avant c'était plus simple puisque la grande majorité des malades mouraient ! Les gens aujourd'hui ne perçoivent pas toujours que la médecine efficace n'existe que depuis très peu de temps. À l'époque où j'ai commencé mes études de médecine – c'est très lointain mais ce n'est pas tout à fait préhistorique – vers 1925 on était encore dans la même situation que celle que décrivait Molière. Le grand changement date des années 30-40 avec la découverte des sulfamides – les premiers anti-infectieux – vers 1936, puis avec la mise au point des antibiotiques, dont la pénicilline, quelque temps plus tard. Auparavant on ne disposait d'aucune thérapeutique efficace et l'activité des grands patrons était concentrée sur le diagnostic. Pas un instant ils ne pensaient au traitement. Ils examinaient très longuement et très bien les malades... ils passaient beaucoup de temps à ça... et autant de temps dans la salle d'autopsie à vérifier qu'il y avait correspondance entre les lésions qu'ils constataient et les symptômes qu'ils avaient perçus !

A.L. : Vous voulez dire, qu'à cette époque-là, la médecine était une science fondamentale et très peu appliquée...

J.B. : Une science ! C'est extrêmement flatteur... la médecine se basait sur des traditions et coutumes qui paraissaient immuables. D'autant plus immuables qu'elle était gouvernée par de véritables dynasties de médecins. Une caste fermée et soudée pourrait-on dire. D'ailleurs, dans les services hospitaliers, rien n'était plus recherché que d'épouser la fille du professeur. Tout ce monde vivait à l'abri des ingérences extérieures, utilisant un vocabulaire, un jargon, hermétique au commun des mortels. Longtemps ces mandarins n'ont pas du tout perçu que la découverte de médicaments efficaces et la révolution de la génétique, de la biologie moléculaire posaient des problèmes nouveaux. J'ai connu le temps où le Conseil de l'ordre des médecins régissait seul ces questions-là et où l'on n'avait qu'à obéir. La création du CCNE a bouleversé l'ordre établi. Je ne sais pas quel homme d'État a eu alors l'idée de mélanger médecins et non-médecins mais c'était une idée de génie. À l'époque, dans beaucoup de pays les comités d'éthique étaient purement médicaux. Sauf en Suède.

A.L. : Et tous ces non-médecins ont découvert un véritable monde. Ayant participé à quelques réunions de comités d'éthique, je sais par expérience que la première chose que l'on fait est d'essayer désespérément de recycler rapidement des théologiens, des philosophes, et autres représentants de la société sur des choses auxquelles ils ne connaissent rien. Car il est fondamental, lorsqu'on discute de fécondation artificielle par exemple, de savoir ce que c'est qu'un gamète, une cellule, un chromosome... d'où cette formation accélérée qui n'est simple ni à préparer ni à digérer.

J.B. : Je connais très bien cela : pendant toutes mes années de présidence je venais deux matins par semaine uniquement pour recevoir les membres non biologistes du comité et leur expliquer ce que vous venez de dire. Mais inversement cela nous faisait beaucoup de bien à nous médecins de voir les réactions et les attitudes de ces profanes.

A.L. : Une des raisons pour lesquelles on a créé le comité d'éthique était la nécessité d'éclairer les gouvernants, les politiques qui devaient réglementer sans être issus du milieu médical... Traditionnellement le ministre de la Santé était médecin ; ce n'est plus toujours le cas. Et les docteurs en médecine ne sont pas légion sur les bancs de l'Assemblée... Pendant longtemps les médecins n'ont pas laissé sortir du sérail les débats qui les agitaient. Mais certains clivages étaient tels qu'il leur est devenu impossible de conserver l'entière maîtrise des débats. Surtout lorsque la société civile s'est sentie de plus en plus concernée. Un exemple est la polémique sur l'avortement qui a abouti à la loi Veil sur l'interruption volontaire de grossesse.

C.L. : *Vingt ans plus tard ont été votées les premières lois de bioéthique. Aujourd'hui ces lois vont être révisées. Pensez-vous que jusqu'à présent elles ont donné satisfaction ?*

J.B. : Absolument pas ! Jamais, au grand jamais, on n'aurait dû faire des lois de bioéthique. J'ai ardemment soutenu cette position devant les hommes politiques mais sans succès. Il y a eu des pressions, peut-être des raisons électorales... Il est absurde d'édicter des lois qu'il faudrait ensuite changer tous les trois ans... Or c'est inéluctable parce qu'il y a en permanence des progrès, des avancées de la science, des changements de l'opinion publique qui les rendent obsolètes.

A.L. : À mon grand étonnement je vous rejoins absolument sur ce point : il est aberrant de légiférer. Le problème que pose la loi est très simple : pour l'élaborer, il faut des années. Pour que les juges l'assimilent et l'appliquent il faut encore d'autres années. Pour que la jurisprudence se constitue il faut encore des années. Résultat : il s'est passé dix ans, quinze ans et la loi est complètement inepte au vu de l'évolution des pratiques, des connaissances et de la recherche...

C.L. : *N'y a-t-il pas là une contradiction ? Pourquoi les députés ont-ils eu raison d'adopter la loi Veil et tort d'avoir voulu élaborer des lois de bioéthique ?*

A.L. : En ce qui concerne la loi sur l'IVG ou la loi Neuwirth sur la contraception, il s'agissait essentiellement d'abolir les très mauvaises lois qui jusqu'alors régissaient le sort des femmes face à la maternité... Et puis l'opinion publique avait changé. Une des difficultés en ce qui concerne les lois de bioéthique est qu'elles figent des situations. Or quand les conditions techniques changent et quand l'information passe, les opinions changent aussi complètement... D'ailleurs je crois que les lois qui ont été adoptées sur la contraception, puis sur l'avortement, puis sur la bioéthique pouvaient passer à un certain moment mais ne seraient pas passées cinq ans plus tôt et peut-être ne seraient pas passées cinq ans plus tard. Notamment parce que les députés soucieux d'être réélus sont très sensibles aux variations de l'opinion publique sur ces questions...

J.B. : Ce que vous dites est si vrai que pour plusieurs de ces lois de bioéthique les décrets d'application n'ont jamais paru ! Comme celui qui aurait permis l'accueil par un couple tiers d'un embryon surnuméraire... J'ajouterai que l'obstacle majeur est l'incroyable diversité des cas. Nous recevions au CCNE une importante correspondance de malades, de médecins, d'infirmières, etc. « Voilà ce qui se passe, qu'en pensez-vous ? »... Dans ces moments-là, on prend vraiment conscience que chaque cas est un cas particulier, unique. Une loi est inapplicable. Au risque de me répéter, je rappelle qu'il y avait moins de problèmes lorsque la médecine était inefficace. En 1933, lorsque j'étais interne à l'hôpital Claude-Bernard au pavillon de l'érysipèle, la plupart des malades mouraient de cette maladie de peau très douloureuse due à un staphylocoque. Quatre ans plus tard je suis revenu à Claude-Bernard comme chef de clinique. Eh bien tous les malades sortaient du pavillon de l'érysipèle sur leurs deux jambes au bout de quelques jours de traitement ! Entre-temps on avait découvert le premier sulfamide... Formidable ! Oui, bien sûr, mais les premiers médicaments véritablement actifs ont tout de suite apporté leur lot de questions, souvent cruciales. Je me souviens encore de la petite Catherine, une fille de mes amis, enjouée, charmante, en bonne santé. Soudain surviennent chez l'enfant qui n'a pas onze ans des troubles préoccupants : violents maux de tête, vomissements, fièvre élevée, nuque raide. Catherine est hospitalisée dans le service du Pr Robert Debré qui pose rapidement le diagnostic : méningite tuberculeuse. Autant dire un arrêt de mort à l'époque. L'Américain Waksman avait bien découvert un médicament, la streptomycine, mais les pédiatres français étaient réticents, notamment à cause des risques d'effets secondaires comme la surdité. Nous avons longuement discuté, le Pr Debré et moi-même, et finalement décidé d'essayer le traitement. Après tout, qu'est-ce que perdre l'ouïe quand on va perdre la vie ? Catherine est certainement l'une des tout premiers enfants soignés à la streptomycine. C'est aujourd'hui une dame d'un certain âge qui entend parfaitement et vient toujours me rendre visite une fois par an.

C.L. : *Mais s'il n'y avait pas de lois, comment ferait-on ? Ne serait-ce pas la porte ouverte à toutes les dérives ?*

J.B. : L'idée n'est pas de laisser faire n'importe quoi. Une des raisons de l'émergence de la bioéthique est certainement l'atrocité des exactions commises par les médecins nazis pendant la Seconde Guerre mondiale. Toutes ces expériences épouvantables menées sur des hommes, des femmes, des enfants... – et qui n'ont rien apporté sur le plan scientifique, je tiens à le souligner – ont réveillé les consciences. Je crois que l'éthique est une question d'éducation. Nous en reparlerons.

A.L. : C'est aussi une question politique. Par exemple, ce ne sont pas du tout les lois de bioéthique qui ont arrêté le scandale des mères porteuses : c'est le gouvernement ! Les politiques ont heureusement des moyens d'action qui leur permettent de ne pas attendre que les juristes et les sénateurs aient compris ce qui se passe ! Dans le cas des mères porteuses, par exemple, il a suffi d'interpréter au sens large des principes généraux contenus dans la constitution ou des lois non spécialisées existantes pour arrêter sur-le-champ tout trafic, par décret, action policière et judiciaire, tout simplement. Il fallait agir rapidement parce qu'il y avait là, à l'évidence, une dérive mercantile, une chosification du ventre des femmes qui n'étaient pas acceptables par notre société. La loi dit ce qui est permis et ce qui est interdit. Elle ne dit pas ce qui est moral ou immoral. Je concevrais très bien par exemple qu'une femme en bonne santé donne un morceau de son foie à son compagnon, ou à une amie chère qui aurait besoin d'une transplantation, même si cette pratique est aujourd'hui interdite en France. Chez nous on ne pratique pas encore ce type de greffe avec un donneur vivant non apparenté. À l'inverse, acheter des morceaux de foie à des jeunes gens du tiers-monde pour soigner de riches Occidentaux est inacceptable. Ce serait une pratique aussi scandaleuse que l'esclavage. Le tout est de poser la bonne limite. Et une telle limite sera forcément empirique, provisoire, susceptible de varier en fonction des évolutions techniques et des renversements d'une opinion très versatile et indéterminée sur des sujets aussi nouveaux, dont elle perçoit mal les conséquences et les enjeux. Ce n'est pas parce que des politiques de tous bords ne cessent de jouer les chevaliers blancs de la bioéthique pour passer à la télévision et corriger leur image de magouilleurs ou de corrompus qu'il faut faire des lois inapplicables et inutiles. Celles-ci pourraient même être nuisibles par des conséquences peu prévisibles : par exemple si elles menaient à l'« acharnement judiciaire » par la multiplication de procès inutiles, comme c'est le cas aux États-Unis.

La stupéfiante histoire
de Jeanine et Robert

« Vendre son ventre n'est pas acceptable. »

C.L. : *J'aimerais que vous commentiez maintenant un des faits divers qui ont le plus défrayé la chronique ces derniers mois, je veux parler de la formidable histoire de Jeanine et Robert. Je vous la rappelle en quelques mots : Jeanine est une institutrice à la retraite qui ne s'est jamais résignée à ne pas avoir d'enfants. Malgré des années de traitements et d'essais infructueux, elle n'a pas renoncé à son rêve, même après avoir passé le cap de la soixantaine. C'est ainsi que pour satisfaire son désir elle a fini par s'envoler pour les États-Unis avec son frère Robert, très handicapé depuis une tentative de suicide dix ans auparavant. Le « couple » se serait présenté comme mari et femme chez le Dr Sahakian du Pacific Fertility Center, qui a accepté de les aider contre un joli paquet de dollars. Plusieurs embryons ont donc été conçus en éprouvette avec les ovules d'une donneuse et le sperme de Robert. Grâce à un traitement hormo-*

nal ad hoc, Jeanine en a porté un et a donné naissance, à soixante-deux ans, au petit Benoît-David. Quelques jours plus tard est née en Californie Marie-Cécile issue d'un autre des embryons qui a grandi dans le ventre d'une mère porteuse grassement rétribuée. Jeanine est donc officiellement la mère de Benoît-David puisqu'elle en a accouché. Robert qui a reconnu Marie-Cécile en est légalement le père. Les deux enfants sont donc à la fois frère et sœur et cousins germains...

J.B. : Les auteurs de tragédie grecs et romains n'avaient pas imaginé cela. Nous sommes là devant une situation très inédite. Même si autrefois les mariages entre frère et sœur n'étaient pas rares.

C.L. : *Cette fois-ci il ne s'agit pas d'un inceste génétique mais d'un inceste social...*

J.B. : Vous avez raison. La situation est encore plus compliquée. Je commencerai par dire que chacun de nous est la résultante de trois éléments. 1. sa génétique propre, c'est-à-dire l'ovule et le spermatozoïde qui l'ont formé. 2. ce qui s'est passé pendant la vie intra-utérine. 3. sa vie telle qu'elle s'est déroulée par la suite. L'importance respective de ces trois facteurs est variable. Parfois la génétique est toute-puissante – l'exemple évident est donné par les grandes maladies héréditaires – parfois ce sont les événements que nous traversons qui modèlent grandement notre organisme et notre personnalité. À l'heure actuelle, on mesure très mal la deuxième partie : l'influence des hormones reçues dans l'utérus maternel, les échanges de toutes sortes entre la mère et l'enfant... tout cela nous est fort peu connu.

A.L. : Sur les trois niveaux que Jean Bernard distingue, un ne me pose aucun problème : celui de la génétique. Étant donné la manière dont ces bébés ont été conçus, il n'y a pas consanguinité. Donc, sur ce plan, ce sont des enfants comme les autres, avec les mêmes chances et les mêmes risques que tout se passe bien ou mal. C'est au deuxième niveau que les choses se compliquent, essentiellement à cause de l'âge de la mère. Il est clair que l'organisme des femmes au-delà de l'âge de la ménopause n'est pas fait pour procréer. On peut certes retarder artificiellement cette horloge biologique, mais avec des dangers considérables pour la santé de la mère et des conséquences inconnues pour l'enfant. Personnellement je ne suis pas trop favorable à ce genre d'expérimentation. Surtout qu'il ne me paraît pas très raisonnable de faire naître des bébés chez des mères ou des parents qui ne pourront pas les élever. Dans des sociétés où le rôle des parents est tout à fait capital pour l'éducation des enfants, il est très souhaitable que les deux, le père comme la mère, aient une espérance de vie d'au moins vingt ans à la naissance d'un enfant, à moins que d'autres ne soient prêts en permanence à les remplacer, comme c'était le cas autrefois et comme c'est encore le cas dans beaucoup de sociétés non occidentales.

C.L. : *Mais l'espérance de vie a augmenté : celle des femmes dépasse allègrement les quatre-vingts ans.*

J.B. : Je vous interromps pour ajouter que cette espérance de vie longue est très récente : pendant des milliers d'années beaucoup de parents mouraient quelques mois ou quelques années après la naissance des enfants. Les orphelins étaient légion...

A.L. :... oui mais les structures de la famille ont complètement changé depuis ces temps anciens. On vivait dans des familles élargies où justement, du fait de la mortalité des parents, il était habituel que les oncles, tantes, frères aînés, sœurs aînées prennent le relais. Dans d'autres sociétés – qu'elles soient africaines, asiatiques, océaniennes ou inuits –, aujourd'hui, les enfants sont élevés par un collectif d'adultes qui ont à peu près le même âge que les parents en question ; le rôle individuel des parents biologiques disparaît ou pour le moins s'atténue. Parfois, on ne prête aucune attention à l'origine génétique et des « parents classificatoires » peuvent être plus importants que les « vrais » parents biologiques.

Mais, dans les sociétés occidentales, nous sommes passés de la famille élargie à des familles nucléaires strictes. À notre époque, pour la plupart des gens, la famille est constituée des parents, des enfants, des grands-parents que l'on va voir une fois de temps en temps. Et de cousins et de cousines, d'oncles et de tantes de moins en moins nombreux car on fait moins d'enfants... Dans ce système, il devient dramatique de perdre ses parents.

C.L. : *La situation était-elle si rose autrefois ? Les romans, les contes de fées sont pleins de marâtres, notamment, qui laissent penser qu'il n'était pas si doux d'être orphelin, même dans une famille élargie...*

A.L. : C'est vrai en Europe, mais ailleurs ce n'est pas si grave. Au Sénégal oriental, par exemple, quand le père ou la mère disparaît, on ne parle même pas d'adoption parce que les oncles et les tantes font déjà office de père ou de mère et sont déjà appelés père ou mère. Rien à voir avec les sociétés occidentales...

J.B. : ... où beaucoup de femmes travaillent. Or nos sociétés n'ont pas réussi à concilier travail féminin et activité maternelle... En grande partie à cause de l'égoïsme masculin !

C.L. : *Mais justement ! Les femmes méno-*

pausées ont souvent tout le temps de s'occuper des enfants, comme Jeanine qui, à soixante-deux ans, est à la retraite.

J.B. : Vous venez de trouver un très beau sujet de roman !

C.L. : *Merci ! J'ajouterai que, puisque les hommes osent avoir des enfants jusqu'à un âge extrêmement avancé – citons Yves Montand ou Charlie Chaplin –, on peut s'attendre dans les années à venir à une pression assez forte de la part des femmes pour avoir les mêmes avantages biologiques. Si on considère qu'une femme est capable d'avoir des enfants naturellement jus-qu'à quarante-cinq ans environ, alors pourquoi pas quarante-six, quarante-sept, quarante-huit... cinquante-cinq ! Où sera la limite ?*

A.L. : Pour parler brutalement, je serais plu-tôt favorable à l'idée d'interdire aux hommes d'avoir des enfants passé cinquante ans en ren-dant la vasectomie obligatoire, plutôt que de repousser les limites des femmes en leur permet-tant de procréer jusqu'à quatre-vingts ans...

J.B. : La différence toutefois est que cer-taines anomalies congénitales sont directement corrélées à l'âge de la mère, alors que sur le plan biologique les pères de soixante-dix ans font des enfants parfaits.

A.L. : Il est impossible de l'affirmer car on a mené trop peu d'études pour le savoir vraiment. Quoi qu'il en soit, pour en revenir à Jeanine et Robert, j'ajouterai qu'à la limite l'idée de faire une FIV avec le sperme de son frère n'était pas une si mauvaise idée de Jeanine... puisque, ainsi, la mère et les enfants vont partager le même demi-patrimoine génétique, même si elle n'a pas utilisé ses propres ovules. Les troubles possibles vont venir des interprétations qui vont être faites. Je ne souhaite pas à ces enfants de rencontrer un psychanalyste lacanien car alors ils seraient définitivement cassés...

J.B. : Vous allez loin : je ne suis pas tout à fait sûr que cette méthode doive être conseillée. Ce qui donne de la valeur à la vie humaine c'est la diversité et le mélange de caractères. Alors si on reste dans le même cercle familial...

A.L. : Nous nous sommes mal compris : je ne recommande pas, je ne suis pas radicalement contre ! Avec un peu de chance, on distinguera une ressemblance entre la mère et les enfants et ce ne sera pas forcément mal... Même si mon expérience d'autres sociétés me pousse à dire qu'il faudrait inverser la tendance actuelle qui veut que l'on s'attache à ses origines biologiques. L'enfant résulte d'une loterie génétique, d'un tirage au hasard. Les gènes impliqués ont évidemment leur importance, mais on n'est pas le père ou la mère de son enfant à la naissance : on le devient par les soins, par l'éducation, par construction de la relation parentale...

C.L. : *Ce n'est pas tout à fait la même chose pour la mère qui a porté l'enfant pendant les neuf mois de la grossesse. À ce propos, rappelons qu'un des deux enfants, Marie-Cécile, est née d'une mère porteuse...*

A.L. : Je condamne absolument les mères porteuses quand il y a de l'argent dans l'affaire !

J.B. : Vous avez tout à fait raison ! Je soulignerai qu'il y a mère porteuse et mère porteuse. Soit la femme est la mère génétique de l'enfant : il s'agit de son propre ovule fécondé par le sperme du mari du couple demandeur. Soit elle porte un embryon étranger que l'on a implanté dans son utérus. Dans le premier cas il s'agit de la vraie mère de l'enfant et l'on ferait mieux de parler de mère de substitution et d'abandon prémédité. Le deuxième cas est plus délicat car l'enfant a bien deux mères biologiques : sa mère génétique qui a fourni l'ovule. Et sa mère utérine qui l'a en partie modelé via de multiples informations nerveuses, chimiques, hormonales durant la grossesse. Mais dans les deux cas vendre son ventre n'est pas acceptable.

A.L. : Mais s'il n'y a pas d'argent à la clef, si cela devient une affaire de famille, par exemple dans le cas d'une femme qui accepte de porter l'enfant de sa sœur et de son beau-frère, je ne suis pas contre. La parenté proche, l'excellente amie qui offre son ventre en cadeau, en offrande, on ne peut pas être contre...

J.B. : Ce n'est pas la meilleure solution. La meilleure serait une inconnue complète qui se prête à cette situation. Mais pas quelqu'un de proche.

C.L. : *Quelle motivation pouvez-vous imaginer pour qu'une femme fasse cela d'une façon anonyme et gratuite ?*

J.B. : L'altruisme. Le plaisir de rendre service...

A.L. : Pourquoi ne pas demander aux religieuses des couvents de servir de mères porteuses ? Cela leur donnerait une expérience qu'elles n'ont pas habituellement. Je ne plaisante qu'à moitié : ce pourrait être la volonté de connaître une expérience de grossesse en dépit de l'impossibilité d'élever des enfants soi-même. Je suis persuadé que cela existe chez certaines femmes, pourquoi pas chez les bonnes sœurs... Elles pourraient rester vierges, porter un enfant, et se dévouer entièrement au Seigneur en ne l'élevant pas. En fait, je concevrais fort bien que, dans des cas très particuliers, une mère très proche d'un couple capable de concevoir un enfant, mais dont la femme ne pourrait pas le porter, puisse accepter bénévolement d'assurer la grossesse ; à la place de sa sœur ou de sa meilleure amie par exemple. Dans un tel cas, s'il s'agissait réellement d'un don susceptible d'être bien vécu par tous les acteurs concernés – ce qui est difficile à établir – je ne vois pas quel principe moral général s'y opposerait. Mais si demain on importait temporairement, à grande échelle, des jeunes femmes des pays pauvres pour porter pendant neuf mois les bébés que les « yuppies » ou les « bobos » ne voudraient plus enfanter pour économiser leur temps de travail ou leur silhouette, ce serait une nouvelle forme de prostitution, de proxénétisme et d'esclavage, tout aussi sordide et condamnable que celle liée au sexe.

J.B. : Reste, pour en revenir à ce que nous disions tout à l'heure, que l'on connaît mal la part de la relation mère-enfant pendant la grossesse dans la genèse de l'individu. Il serait d'ailleurs très intéressant d'avoir des utérus artificiels pour fabriquer des enfants complètement in vitro.

C.L. : *Vous voudriez voir cela pour pouvoir étudier, mesurer, la part de l'environnement utérin sur l'enfant ou pour débarrasser les femmes du fardeau de la grossesse ?*

J.B. : Je me plaçais sur le strict plan de la

connaissance. Dans la réalité beaucoup de femmes seraient très malheureuses si elles ne portaient plus leur enfant.

A.L. : Je ne suis pas d'accord : rappelez-vous ce qu'ont écrit Elisabeth Badinter et Philippe Ariès du soi-disant instinct maternel qui consistait, pour les femmes de la bonne société des XVIIIe et XIXe siècles à se débarrasser au plus vite des nouveau-nés pour les placer chez des femmes de basse condition pendant qu'elles reprenaient leur vie mondaine... Aujourd'hui, si on proposait à certaines « executive-women » de placer leurs embryons tout petits dans une sorte de « couveuse » qui les porterait, voire les allaiterait, pour ne les récupérer qu'au moment où ils deviennent intéressants en leur sens... beaucoup accepteraient, j'en suis sûr. Mais j'entends déjà hurler mon ami Boris Cyrulnik qui professe que les relations mère-enfant se mettent en place dès la fin de la grossesse et dans le tout début de la vie... Il a sûrement raison. De toute façon, l'utérus artificiel n'est pas pour demain ! Mais on pourrait imaginer créer des animaux porteurs...

C.L. : *Des grands singes ?*

A.L. : Oui ou bien plutôt des truies, pour des questions de taille et de coût, ou des vaches... Mais n'allons pas trop loin dans la fiction, laissons cela pour un autre livre !

L'embryon est-il un être humain ?

« Le potentiel humain est d'abord dans le projet des parents... »

C.L. : *Une autre histoire, beaucoup plus ancienne mais tout aussi exemplaire : celle des milliardaires Californiens que vous citez dans un de vos livres, Pr Bernard. Un couple américain très fortuné est en mal d'enfant. À cette époque, les Australiens sont en pointe dans le domaine de la procréation médicalement assistée. Les époux stériles se rendent à Sydney où d'éminents médecins parviennent à préparer en éprouvette plusieurs embryons. Ils s'apprêtent à les réimplanter dans l'utérus de la femme lorsqu'une obligation imprévue oblige le couple à rentrer d'urgence aux États-Unis. « Nous reviendrons la semaine prochaine », promettent-ils mais leur avion de retour s'écrase dans l'Océan. Leur neveu télégraphie aussitôt en Australie : « Détruisez les embryons. » Le jeune homme, bien sûr, a peur de se voir souffler l'héritage. Les médecins australiens refusent. Une vive polémique s'engage des deux côtés du Pacifique... jusqu'au jour où un journaliste de San Francisco révèle qu'il n'y a ni milliardaires, ni neveu, ni embryons : il a inventé ce fait divers pour tester l'opinion publique.*

J.B. : Cette histoire, dont il existe plusieurs versions, appelle beaucoup de commentaires. Elle pose d'abord un problème fondamental de la bioéthique : à partir de quand existe l'être humain. Successivement on a respecté l'enfant à la naissance, puis le fœtus, puis l'embryon (les médecins distinguent l'embryon − soit l'organisme pendant les toutes premières semaines de la vie − du fœtus : après le troisième mois et jusqu'à la fin de la grossesse).

La vérité est que chacun de nous existe dès la conception, dès que le spermatozoïde a rencontré l'ovule. Derrière cette première affirmation, il y a une grande incertitude : la boîte noire du cerveau. Car, ce qui sépare l'homme des animaux, c'est le fonctionnement de son cerveau. Une différence absolument fondamentale parce que, pour tout le reste − cœur, poumon, foie... −, il n'y a pas de distinction notable. Mais aucun animal n'a écrit Hamlet, aucun animal n'a peint la Joconde. Alors à partir de quand le cerveau se met-il à fonctionner, à partir de quel moment est-il différent de celui d'un animal ? Ce n'est pas très clair... Cette question est plus envisagée par les philosophes, les sociologues, les théologiens que par les biologistes. Pour ces derniers tout commence dès que l'œuf est formé. Reste qu'aujourd'hui personne n'est capable de dire à quel moment apparaissent les fonctions du cerveau. On sait qu'elles existent en puissance, oui mais... On sait bien qu'un fœtus ne peut écrire Hamlet. Ni un enfant d'un an et pourtant personne ne songe à traiter un enfant d'un an comme un animal, encore moins comme un amas de cellules.

A.L. : J'ai eu l'expérience de sociétés dans lesquelles l'enfant n'est considéré comme un être humain qu'à partir du moment où il est capable de parler. Tant qu'ils ne parlent pas, les nourrissons de cette région-là ne sont pas considérés comme des êtres « humains ». Certains passent d'ailleurs des tests d'humanité. Quand un enfant semble anormal, les adultes le placent dans des situations extrêmes où son comportement est censé révéler son caractère humain ou non humain. Dans ce dernier cas, le gamin est souvent considéré comme un représentant des forces du mal, un sorcier potentiel. Par exemple, dans certaines régions de l'Afrique de l'Ouest, lorsqu'un petit n'apprend pas à parler, il arrive qu'on l'installe sur un promontoire à dix mètres au-dessus d'un trou d'eau avant d'allumer le feu aux broussailles tout autour. On pense que s'il s'agit d'un enfant humain, il aura l'intelligence de s'accrocher à son bout de rocher jusqu'à l'extinction de l'incendie. Mais que s'il se laisse tomber dans l'eau – ce qui est évidemment définitif – c'était un être maléfique !

Ailleurs, dans une autre ethnie, le bébé qui ne parle pas est placé à la fourche entre deux sentiers : l'un menant vers une route convenable l'autre vers des marais perdus. Un petit peu plus loin, un chasseur tire sur le malchanceux engagé sur le mauvais chemin... Ce sont évidemment des définitions extrêmes de l'Humain auxquelles il nous est difficile de souscrire. Mais que nous disent ces pratiques ? Que la parole est bien un critère d'humanité dans le sens où un être humain est autant un être de culture qu'un organisme vivant. Bien entendu ce critère ne s'établit pas en un jour. Le langage, comme d'autres capacités cognitives, se forge au cours d'un long apprentissage. En fait, tout le problème est de savoir si le fœtus de cinq mois est plus homme et moins singe que le fœtus de quatre mois. Or c'est une question qui ne peut avoir aucune réponse technique parce que l'acquisition des caractères humains se fait progressivement. Il n'y a pas de frontière, il n'y a pas de barrière, à ce niveau-là du moins. Toutefois, si l'on remonte jusqu'au tout début, jusqu'au moment de la conception, alors là ! je m'inscris complètement en faux avec vos propos, professeur Bernard : je n'admets absolument pas que la vie d'un individu commence dès la fécondation.

C.L. : *Pourriez-vous nous rappeler ce qui se passe lors de la fécondation ?*

A.L. : La fécondation est la rencontre entre un spermatozoïde qui apporte un demi-patrimoine génétique donné par le père et un ovocyte qui apporte un autre demi-patrimoine génétique donné par la mère[1]. C'est la seule chose originale : la réunion de deux demi-patrimoines pour faire un patrimoine génétique *nouveau* et *unique*. Mais, comme le faisait remarquer Charles Thibaut, grand biologiste chrétien, cet événement est loin d'être instantané. D'abord parce qu'il s'écoule de cinq à sept heures entre la pénétration du spermatozoïde dans l'ovocyte et la fusion des noyaux qui réunit les gènes des deux parents. Donc la fusion n'est pas immédiate. Ensuite, parce que, dans le noyau fusionné, pendant plusieurs jours, seul le patrimoine génétique maternel fonctionne : autant dire que le patrimoine génétique du nouvel individu n'existe pas, ou tout du moins ne s'exprime pas pendant les quatre ou cinq premières divisions cellulaires. Mieux : l'embryon, qui est réalisé par la division en deux puis en quatre puis en huit puis en seize puis en trente-deux cellules et ainsi de suite, n'est pas vraiment un embryon. C'est ce que l'on appelle parfois un « pré-embryon » pour plusieurs raisons : d'abord parce que la plupart des cellules de ce pré-embryon vont donner des annexes embryonnaires : placenta, amnios, etc. qui ne participent pas au futur bébé et sont destinées à disparaître après la grossesse. Ensuite, parce que chacune des cellules du pré-embryon, isolée, peut reconstituer un orga-

---

1. Voir schéma page 171.

nisme complet jusqu'au stade où l'embryon ressemble à une petite mûre. Après, ce tas de cellules va se creuser, se remplir de liquide. Ensuite seulement se forme, à l'intérieur de cette cavité, ce que l'on appelle le bouton embryonnaire. Ce bouton est véritablement le début de l'individu. Et encore ! Jusqu'à un stade très avancé – plus de deux semaines –, ce bouton peut encore se diviser en deux ou en trois pour donner des jumeaux ou des triplés. Comme le faisait remarquer un jésuite, quelque chose susceptible de se diviser en plusieurs individus n'est à l'évidence pas un individu : c'est un « dividu », argument fort jésuitique, je vous l'accorde ! Mais pour moi, pendant les premiers jours, voire les premières semaines, le statut de cet œuf divisé ne peut pas être celui d'un individu, d'une personne.

J.B. : Je ne suis pas d'accord : si l'embryon n'est pas une personne, c'est néanmoins un être humain. Dès le début, dès la conception. Quand les hommes de sciences ne comprennent pas un problème, ils s'en tirent par le vocabulaire. Ils ne disent plus embryon mais l'« être en puissance », la « personne humaine potentielle », voire la « potentialité de personne »... Mais quelle réalité recouvrent ces mots ? À l'heure actuelle, il n'y a pas de réponse à cette question. Il y en aura certainement une, un jour : l'embryon humain de une, seize ou trente-deux cellules est différent de l'embryon de mouton puisqu'il a en puissance un cerveau humain.

A.L. : Oui mais c'est ce « en puissance » qui, à mon avis, donne lieu à des raisonnements aberrants. Il est clair que le patrimoine génétique d'un être humain est, par nature, fondamentalement différent de celui d'un chien ou d'un singe : il contient un certain nombre de gènes qui n'existent pas chez l'animal. Mais la notion d'être humain potentiel n'a aucun sens parce que n'importe quelle combinaison d'un spermatozoïde et d'un ovocyte est un être humain potentiel. Donc, si l'on protège tous les embryons dès la conception, je ne vois pas pourquoi on ne « sauverait » pas les millions de spermatozoïdes qu'un homme éjacule à chaque rapport sexuel ou les quatre cents ovocytes mûrs qu'une femme produit au cours de sa vie sous prétexte que ces cellules vivantes sont des demi-êtres potentiels ! Ou encore les quatre-vingts cheveux perdus chaque jour et les millions de cellules ratatinées après une pelade due à un coup de soleil. Chacune de ces cellules abandonnées contient le même patrimoine génétique qu'un embryon ou un œuf humain, lequel n'a aucune propriété biologique ou génétique qui le rende plus ou moins respectable. La seule raison de respecter l'embryon, pour moi, est le projet parental de la mère ou éventuellement du père. Le potentiel humain est dans le projet des parents, il n'est pas dans une masse de cellules gélatineuse et microscopique qui a nidifié dans l'utérus ou poussé dans une éprouvette.

C.L. : *Si je résume vos positions contradictoires, je dirai que vous, professeur Bernard, appartenez au courant vitaliste qui considère l'embryon par essence humain. Tandis que vous, professeur Langaney, vous seriez plus proche du courant dit relationnel qui accorde l'humanité à l'embryon pour autant qu'il réponde à un projet parental.*

Mais pour vous deux, ce n'est pas la science qui aujourd'hui tranchera ce débat car elle ne peut fixer de limites franches dans le long processus qui aboutit à la formation d'un individu.

J.B. : Tout à fait. La réponse morale à cette question n'est pas dans la biologie.

A.L. : C'est le regard philosophique, religieux, culturel... que l'on porte sur l'embryon qui lui donne son statut...

C.L. : *Oui, mais alors on se retrouve là face à des positions très différentes et souvent inconciliables. Pour s'en tenir à la vision religieuse, les grandes religions du livre par exemple ont des avis très divergents sur la question. Les catholiques, très stricts, interdisent toute intervention sur l'embryon quelle qu'elle soit, les juifs distinguent l'embryon in vitro de l'embryon in utero, les musulmans autorisent la fécondation in vitro si et seulement s'il s'agit des gamètes des* *parents, les protestants autorisent le don d'ovules et de sperme*[1]...

A.L. :... d'où la difficulté de légiférer dans des pays pluri-culturels comme les nôtres. Je vais vous raconter une anecdote. Je me souviens d'une séance à l'Unesco où l'on évoquait le cas douloureux d'un couple divorcé qui se disputait aux États-Unis ses embryons congelés. Le père voulait les détruire. Alors que son ex-épouse, au bord de la ménopause, voulait se les faire implanter au prétexte que c'était sa dernière chance d'être mère. La séance était présidée par le recteur Sinaceur, le grand philosophe et théologien musulman. Tout le monde avait quelque chose à dire. Les avis étaient très partagés et l'on n'arrivait à rien lorsque mon ami le Pr Renard, de l'INRA, est intervenu. Il ne comprenait pas le débat, disait-il, parce que, au stade où les embryons avaient été congelés, on pouvait, pour une fois, appliquer le jugement de Salomon, stricto sensu ! Il était en effet facile de les couper en deux et d'en donner une moitié au père, une moitié à la mère. Ainsi chacun pourrait repartir avec ses embryons et en faire ce qu'il voulait. Lui faisait ça tous les jours chez les vaches et ça marchait très bien !...

Bien entendu c'était une provocation. Mais une provocation révélatrice. Elle soulignait qu'il n'y avait pas de vérité dans cette affaire, pas de

1. Voir tableau des religions pages 174-175.

position logiquement incontournable. La vérité est complètement subjective selon les représentations que l'on s'en fait.

C.L. : *La loi française elle-même est très ambiguë : elle n'accorde pas de statut à l'embryon qui n'est ni une personne, ni une chose. Bien sûr la loi « garantit le respect de l'être humain dès le commencement de sa vie », mais cette formulation entretient une incertitude sur le moment où doit s'appliquer ce respect. Le fœtus lui-même n'est pas une personne puisque, si on blesse une femme enceinte et provoque la mort du fœtus, on ne peut être accusé d'homicide involontaire. La jurisprudence est très claire là-dessus, la Cour de cassation a récemment refusé la qualification d'homicide involontaire dans une affaire exemplaire : celle d'un automobiliste en état d'ébriété ayant heurté le véhicule conduit par une femme enceinte de six mois, un accident qui avait provoqué l'accouchement prématuré d'un enfant mort-né. Mais on sauve parfois des nouveau-nés de six mois ! Trouvez-vous normal que seul l'enfant né vivant soit considéré comme une personne juridiquement parlant ?*

A.L. : Je ne suis pas juriste mais il me semble qu'accorder une personnalité juridique au fœtus serait remettre en question l'avortement. Ce qui serait pour moi inacceptable. Faut-il un statut particulier ? Je ne saurais répondre. Je souligne quand même qu'il ne faut pas croire que l'on peut tuer un fœtus impunément : la mère ne peut invoquer l'homicide involontaire, mais la loi lui reconnaît le préjudice moral et lui accorde des dommages et intérêts.

L'automobiliste ivrogne, le médecin fautif ne sont donc pas, heureusement, à l'abri des poursuites.

Clonons Brigitte Bardot !

« La course au clonage humain s'accélère. »

C.L. : *À suivre l'incroyable saga qui se déroule dans les médias ces derniers temps, on a bien l'impression que la course au clonage humain s'accélère. À Noël 2002, la secte des Raéliens nous fait miroiter la naissance d'une petite Ève – tout un programme ! – bientôt suivie d'une ribambelle d'autres petits clones. Cette annonce n'est pas vraiment une surprise : depuis des années son gourou, le Français Claude Vorhillon, clame à qui veut l'entendre que le clonage est l'avenir de l'homme et que dans ce domaine il coiffera au poteau son principal concurrent déclaré, le médecin italien Severino Antinori. Ce dernier, « père des premières mères ménopausées », enchaîne de son côté conférences de presse et déclarations fracassantes sur son « combat contre la stérilité » et le nombre de ses patientes enceintes de clones... Info ou intox ? Peu importe pour le moment. À côté des stars médiatiques, nul ne sait combien de laboratoires sont, dans l'ombre, réellement engagés dans cette course au clonage. En 1999 déjà, la revue médicale* The Lancet *écrivait avoir « la conviction (ou la crainte) que la création de clones humains est inévitable ». Est-ce vraiment inévitable, alors qu'il semble y avoir un consensus – pour une fois ! – sur l'interdiction du clonage humain ?*

J.B. : Tout le monde s'accorde pour l'interdire aujourd'hui. Mais naturellement on ne raisonne que pour un moment donné. L'évolution des connaissances changera peut-être nos opinions. Pour citer un exemple bien connu : les premières vaccinations de Pasteur ont suscité de violentes protestations par peur d'éventuels dangers. Cinquante ans plus tard, la vaccination était entrée dans les mœurs, plus personne n'en parlait.

A.L. : Je suis toujours très gêné dès que l'on parle de clonage, de la confusion entre la science et la science-fiction. On a toujours l'impression qu'il s'agit de produire en série des copies conformes, des doubles parfaits de madame X ou de monsieur Y. Or c'est complètement faux. Bien sûr cloner veut bien dire reproduire à l'identique... un patrimoine génétique. Les bactéries se clonent elles-mêmes depuis trois milliards d'années. L'homme sait cloner des gènes, des cellules et des grenouilles depuis plus de vingt ans, et même des mammifères depuis la naissance de la brebis Dolly en 1997. Mais un humain – et même un mouton – n'est pas réductible à ses gènes. Cloner monsieur X, ce serait lui fabriquer un jumeau dont l'âge serait décalé par rapport à celui de l'original. Et ce jumeau serait un jumeau au sens de la ressemblance physique. Rien de plus. La personnalité d'un individu est le fruit d'une histoire individuelle qui ne sera jamais la même chez le clone. Il est certain que si l'on est séduit par l'aspect physique d'une personne, si l'on veut créer un jeune homme sosie de Brad Pitt – ou de Jean Bernard – ou une jeune fille qui, dans vingt ans, ressemblerait à Brigitte Bardot jeune... on réussira probablement. Reste que le clone du Pr Jean Bernard n'aurait pas la moindre chance de faire une carrière de professeur de médecine identique, d'entrer à l'Académie française et de faire tout ce qu'a fait le Pr Bernard dans sa carrière parce que son histoire ne serait pas la même. Déjà des jumeaux vrais, monozygotiques comme on dit dans notre jargon, n'ont pas du tout la même personnalité. Ce ne sont pas « la » même personne... Alors des clones ! Qui n'ont partagé ni la même vie intra-utérine, ni la même éducation, ni la même époque... Croire que les qualités ou les défauts moraux et intellectuels d'un individu se retrouveraient chez son clone est un fantasme total !

C.L. : *Mais vous pensez qu'il est techniquement possible de cloner un être humain, de lui fabriquer un jumeau décalé dans le temps ?*

A.L. : Oui bien sûr... Rien n'empêche des

charlatans d'acheter des biologistes compétents et intéressés capables de réaliser un clone humain. Chez les mammifères, l'écueil est que le principe du clonage dit reproductif est très simple mais très difficile à réaliser[1]. Il consiste à prendre le noyau d'une cellule de peau, par exemple, d'un individu adulte. Puis à insérer ce noyau – qui contient tout le patrimoine génétique de l'individu en question – dans un ovule dont on a préalablement retiré pratiquement tous les gènes. On crée ainsi une sorte d'œuf qui, avec beaucoup de chance, se développera et donnera naissance à un bébé qui ressemblera physiquement énormément à l'original. Il a tout de même fallu plusieurs centaines d'essais pour obtenir la brebis Dolly. On clone aujourd'hui des vaches, des cochons, des souris, mais on constate beaucoup d'échecs, beaucoup de malformations chez ces animaux. Quant aux singes, les résultats sont à peu près nuls malgré les efforts des meilleurs spécialistes mondiaux. Donc je ne crois pas que Raël ou Antinori, que beaucoup considèrent comme des charlatans, soient au bout de leurs peines.

C.L. : *Pourtant les Raéliens ont deux atouts : l'argent. Et les « cobayes » : il y a suffisamment de jeunes femmes dans la secte pour donner leurs ovules, voire pour jouer les mères porteuses.*

---

1. Voir schéma page 176.

J.B. : Peut-être mais quoi qu'il en soit, à l'heure actuelle, on ne saurait absolument pas reproduire un cerveau à l'identique. Du coup la question du clonage perd beaucoup de son importance morale : est-ce grave de faire un jumeau qui a le même foie, le même cœur, le même poumon, etc., qu'un autre individu si l'on ne touche pas à son système nerveux central ?

C.L. : *Mais alors pourquoi ce tollé général ?*

A.L. : Je l'attribue à l'incompréhension totale du problème, à un fantasme médiatisé du double parfait qui ne repose sur rien. J'ai déjà écrit, par provocation, qu'il faudrait créer un clone humain au moins une fois. À titre pédagogique : pour constater que cela n'a aucun intérêt, que les gens qui voudraient se reproduire ainsi à l'identique se leurrent complètement.

J.B. : En l'état actuel des connaissances ! On ne peut pas du tout écarter l'idée qu'un jour, dans vingt ans, cinquante ans, la science triomphe de cette difficulté et que l'on parvienne à créer des individus à cerveaux identiques. Vous serez alors confronté au vrai problème éthique. Cela me rappelle mes tantes : deux jumelles qui se ressemblaient comme deux gouttes d'eau. Je n'ai jamais pu les distinguer l'une de l'autre – d'ailleurs je me suis toujours demandé comment faisaient leurs maris respectifs. Et elles étaient aussi psychiquement très semblables malgré quelques différences.

A.L. : Vous savez bien que vos tantes étaient très semblables parce qu'elles partageaient non seulement les mêmes gènes mais aussi la même éducation, le même milieu, les mêmes parents, etc. On pourrait envisager de créer une série de clones auxquels on veillerait à donner exactement la même formation, comme dans *Le Meilleur des mondes*. Mais l'essentiel de leur ressemblance viendrait de l'uniformité de leur environnement plus que de la similitude de leurs gènes.

J.B. : Pour une fois, je suis tout à fait d'accord avec vous. En ce sens que lors d'un voyage aux États-Unis il y a une vingtaine d'années on m'a présenté deux jumelles russes identiques, dont l'une avait immigré enfant avec ses parents en Amérique. L'autre, restée en Sibérie, n'avait pu rejoindre sa famille que vingt ans plus tard... Eh bien les deux sœurs étaient très dissemblables. Bien sûr elles se ressemblaient physiquement énormément mais leurs vies opposées les avaient modelées différemment. L'histoire de ces jumelles est une sorte d'expérience de laboratoire qui permet de distinguer ce qu'il y a de proprement génétique du reste. Avec, je le répète, le fait que l'on ne sait pas quelles sont les relations entre le cerveau et la génétique. Il y a un nombre considérable de familles d'écrivains. Je n'en connais aucune qui compte deux génies. Il y en a toujours *un* de remarquable. Je me demande d'ailleurs souvent comment auraient écrit les vrais jumeaux de Racine ou de Victor Hugo.

A.L. : Inversement, il suffit de se promener dans la rue pour croiser dans l'heure vingt-cinq clones de Britney Spears : des jeunes filles avec un T-shirt moulant, un balayage blond des cheveux, souvent un piercing vrai ou faux dans le nombril et un pantalon taille ultra-basse. Des filles qui, par la façon de se maquiller, de s'apprêter, de se déhancher... ressemblent, parfois à s'y méprendre, à leur idole.

J.B. : Oui mais si la polygamie était permise en France et que vous épousiez deux de ces Britney Spears vous vous apercevriez bien vite de leurs différences.

A.L. : Oh ! Je n'aurais jamais épousé Britney Spears. Mais une Brigitte Bardot jeune qui aurait la plastique de l'original et le cerveau d'un grand écrivain progressiste... Voilà qui ne serait pas pour me déplaire ! Plaisanterie mise à part, en parlant de ces jeunes filles quasi-sosies de leur chanteuse préférée, je voulais souligner la réussite de ce lavage de cerveau qu'est le marketing. Bien sûr, cela ne prête pas à des conséquences dramatiques : question lavage de cerveau, l'humanité a fait bien pire ! Et justement lorsqu'en parlant de clonage reproductif on parle d'atteinte à la dignité humaine, je trouve le terme un peu

fort. Cloner un être humain, même en dix exem-
plaires, ce serait avant tout faire des bébés. Ce
n'est quand même pas comparable aux horreurs
commises par les régimes totalitaires au nom de
la pensée unique ! Le « clonage de la pensée »,
voilà une véritable atteinte à notre dignité !

C.L. : *Pourquoi alors ne pas autoriser le
clonage reproductif ? Serait-ce parce qu'il serait
dangereux pour la diversité génétique humaine ?*

A.L. : Galéjade ! Nous sommes six milliards
d'hommes sur la planète, ce ne sont pas cent,
mille, dix mille clones qui vont mettre en péril
quoi que ce soit. Cloner est irresponsable parce
que l'on ne maîtrise pas la technique et que les
risques sont énormes pour les premiers enfants
qui naîtraient ainsi. Et aussi parce que ce serait
mettre le clone dans une situation psychologique
insupportable, vu les fantasmes de notre société
sur le sujet.

C.L. : *Répondriez-vous favorablement à la
demande du couple qui a subventionné les Raéliens par exemple et qui, ayant perdu un petit
garçon de dix mois, désire désespérément retrouver le même !*

A.L. : Certainement pas. Je le répète : on ne
peut pas refaire le même... même chez un tout

petit. Il n'y a aucune raison valable de rechercher une identité génétique factice et il est scandaleux d'abuser de la détresse des parents. Le problème du remplacement, de l'enfant de substitution est un vieux problème bien connu des psychiatres et des psychanalystes. C'est un très lourd fardeau psychologique pour un gamin que d'être le remplaçant imparfait d'un frère mort dont a posteriori on estime qu'il était parfait...

C.L. : *Mais ce traumatisme n'est pas l'apanage du clonage : Salvador Dali portait le même prénom que son aîné décédé d'une méningite. Toute son enfance, il a souffert du poids de son frère mort. Et c'est ce qui l'a poussé, disait-il, à devenir, par l'art, immortel... Reste un dernier cas de figure à envisager : un couple dont l'homme serait totalement stérile et désireux d'avoir un enfant qui serait biologiquement le sien...*

A.L. : Je ne suis pas d'avis d'autoriser le clonage dans un tel cas. Le bébé ne serait pas un enfant du couple mais un clone du père. Qui serait-il ? Le fils ? Le jumeau ? L'ersatz du mari de sa mère ? Bien sûr, beaucoup d'enfants naissent naturellement avec une histoire familiale difficile à porter. Ce n'est pas une raison pour autoriser ou encourager des pratiques aussi dangereuses pour leur santé mentale. On ne peut pas acheter tous les fantasmes dans notre société... Ce serait aussi antisocial qu'une femme qui voudrait avoir un enfant par parthénogenèse, comme les femelles pucerons qui se reproduisent sans mâle et ne donnent naissance qu'à des filles... Il y a des sociétés qui sont bien en avance sur les nôtres. Des sociétés ou *éduquer* importe plus qu'*engendrer*. Dans certaines ethnies du Sénégal oriental, l'enfant du couple est celui qui est élevé par ce couple. On n'a pas le souci de son origine biologique.

C.L. : *Peut-être mais nous ne sommes pas au Sénégal. Qu'on l'approuve ou non, dans nos sociétés le souci d'avoir un enfant biologique est très fort. Sans compter qu'en France il n'est pas facile d'adopter. Si on ne peut acheter tous les fantasmes, jusqu'où peut-on aller ? Mettons de côté pour l'instant les scénarios de science-fiction comme le clonage ou la parthénogenèse, pour constater que le domaine de l'assistance médicale à la procréation – l'AMP comme disent les spécialistes – est en révolution permanente. En quelques années, ces techniques ont complètement bouleversé la prise en charge de la stérilité. Autrefois un couple stérile ne pouvait que se résigner ou adopter. Aujourd'hui en France sur les sept cent soixante-dix mille naissances de l'année, plus de sept mille sont directement dues aux prouesses de l'AMP. Prouesses qui repoussent toujours plus loin les limites du désir d'enfant, pour la plus grande satisfaction des tenants du*

« droit à avoir un enfant biologique ». Mais d'autres s'inquiètent et craignent d'aller trop loin, de franchir la frontière de l'« acharnement procréatique ». Qu'en pensez-vous ?

J.B. : Je voudrais d'abord rappeler quelques dates. La première insémination artificielle avec le sperme du conjoint date de 1780. La première insémination avec le sperme d'un donneur a lieu en 1884. En 1978 naît Louise Brown, le premier bébé-éprouvette, quatre ans avant Amandine, le premier bébé-éprouvette français. En 1983 on annonce la naissance du premier enfant conçu avec l'ovule d'une donneuse et en 1984 celle de Zoé le premier « embryon congelé »... La stérilité est un malheur, c'est certain et le développement de l'AMP permet aujourd'hui à de nombreux couples, à de nombreuses femmes, d'avoir des enfants qu'ils n'auraient jamais eus autrement. Mais on ne peut nier que ces techniques soulèvent des problèmes éthiques difficiles à résoudre. J'en citerai deux : a-t-on le droit d'inséminer une femme avec le sperme de son mari mort ? Ou d'implanter dans son utérus des embryons conçus in vitro après le décès du père, ce que prévoit la nouvelle loi de bioéthique ? Personnellement je pense qu'il est déraisonnable de faire naître déli-bérément des orphelins. Lors d'une fécondation in vitro on fabrique souvent plus d'embryons que nécessaire et les congélateurs des laboratoires sont pleins de ces embryons surnuméraires. Qu'en faire ? Les tuer ? Les donner à un autre couple ? Les utiliser pour la recherche ? Je n'y suis pas favorable, nous y reviendrons. En fait, il n'existe pas à l'heure actuelle de solutions satisfaisantes.

C.L. : *Pour continuer sur le développement de l'AMP il faudrait aussi parler de l'ICSI (injection intracytoplasmique de spermatozoïde) qui consiste à injecter à l'aide d'une micro-pipette un spermatozoïde directement dans l'ovocyte, au lieu de laisser la fécondation se faire seule dans l'éprouvette. L'ICSI, utilisée pour pallier certaines formes de stérilité masculine, représente 40 % des interventions d'AMP en France. Ne va-t-on pas risquer de rendre ainsi la stérilité héréditaire puisque les garçons nés de ces techniques risquent de posséder le même défaut que leur père ?*

A.L. : À un niveau personnel, c'est peut-être embêtant. Mais au niveau de la population, cela n'a pas d'importance dans la mesure où cela reste une pratique très minoritaire par rapport aux naissances naturelles. Cela me rappelle les interrogations des CECOS au début des inséminations artificielles avec donneur (IAD). S'était posée la question de l'influence sur la consanguinité de l'IAD à partir du moment où les donneurs, qui n'étaient pas légion, engendraient chacun plusieurs enfants. On craignait que ces demi-frères et sœurs ne se connaissant pas finissent par se

rencontrer et donc par augmenter la consanguinité. On m'avait envoyé une délégation pour cal-
culer les risques. J'ai tout de suite demandé
combien d'IAD par an ? Une dizaine cette année,
m'avait-t-on répondu à l'époque. Peut-être le
double l'année prochaine. J'ai éclaté de rire parce
que même avec des milliers d'IAD par an, l'augmentation de la consanguinité aurait été si faible
qu'il n'y aurait eu aucune conséquence. D'autant
plus que la consanguinité, contrairement à ce que
l'on croit en général, ne constitue un risque que
dans certains cas très particuliers dans lesquels
circulent des gènes de maladies génétiques réces-
sives, comme la mucoviscidose. On peut même
démontrer par le calcul que l'ensemble des habi-
tants de la planète sont aujourd'hui très consan-
guins.

C.L. : *Les limites alors sont-elles au niveau
du « bricolage » des gamètes ? Je fais là allusion
aux nouvelles pratiques de l'ICSI avec des spermatozoïdes immatures. Ou encore à la correction
ovulaire, une méthode beaucoup plus confiden-
tielle, qui consiste à réparer un ovocyte défaillant
en y injectant le cytoplasme de l'ovocyte d'une
donneuse...*

A.L. : La correction d'un ovule du point de
vue du cytoplasme ne me choque pas du tout.
C'est de la réparation et c'est le rôle de la médecine de réparer et de faire que ça marche. Pour

autant il ne faut pas être hypnotisé par la procréatique. On s'acharne à fabriquer artificiellement des enfants biologiques, par des procédures très pénibles et avec des pourcentages ridiculement faibles de réussite (15 % de succès, soit 85 % d'échecs est considéré comme glorieux dans les « bons centres » d'AMP !). Cela détourne trop de médecins et de moyens matériels et financiers de la vraie médecine. Je crois que l'on considère de manière abusive un théorique droit de tous les parents à avoir des enfants, quels que soient les moyens pour les faire. Et on néglige totalement le droit des enfants à naître dans des conditions ni trop lourdes ni trop risquées. Or les droits des enfants passent avant le droit à l'enfant et dans ce sens je regrette que l'on ne facilite pas plus l'adoption. Pour moi, c'est un scandale qu'il y ait des gamins à la DDASS, quel que soit le mérite des fonctionnaires de cet organisme. Mais en raison des structures sociales, du droit de l'héritage, de la réticence des magistrats à laisser se développer des systèmes de filiations sociales qui ne correspondraient plus à leur vision de l'ordre des choses... on limite les adoptions qui devraient être massives. Je trouve aberrant que la Sécurité sociale rembourse les tentatives de FIV mais pas les frais engagés par un couple qui désire adopter un enfant étranger ! Et je reste pantois lorsqu'une de mes collègues, psychologue, me raconte comment elle a découragé de leur demande de FIV un jeune couple en bonne santé qui n'arrivait pas à avoir d'enfant... parce qu'il n'avait pas de relations sexuelles ! Un cas qui n'est pas rare paraît-il ! Là je vois de l'abus, surtout lorsque l'on sait qu'une seule tentative de FIV coûte, avec des chances minimes de réussir, deux mille trois cents euros.

J.B. : L'AMP coûte très cher, c'est certain. Est-ce à la société de prendre en charge le coût économique de ces traitements ? Pour le moins il semble raisonnable que leurs indications soient attentivement étudiées et strictement limitées pour éviter le gaspillage et la souffrance. Car on oublie souvent de parler du taux de réussite : aujourd'hui on approche de 20 %, c'est aussi bon que le taux de réussite des méthodes naturelles. Mais bien sûr la FIV est infiniment moins agréable, très contraignante voire douloureuse. Et cela veut quand même dire que huit fois sur dix, la femme aura suivi toutes ces épreuves pour rien. Or d'autres solutions existent, à tort négligées. L'adoption, vous en avez déjà parlé. Et la prévention : chez la femme, les stérilités qui conduisent à l'AMP sont souvent dues à des infections des trompes. Un vigoureux effort de surveillance, d'instruction devrait limiter ces infections ou permettre leur traitement précoce et ainsi limiter le recours à la FIV. Chez l'homme, les stérilités seraient souvent dues à l'exposition ou à l'ingestion de substances chimiques : là encore de gros efforts de recherches sont à faire pour agir en amont.

C.L. : *Pour terminer sur cette question de la procréatique, revenons aux scénarios de science-fiction : certains chercheurs imaginent que dans quelques années on pourra faire des enfants non pas avec un ovule et un spermatozoïde mais avec deux ovules ou deux spermatozoïdes et un ovule énucléé...*

J.B. : Je ne crois pas qu'on le fera : tout simplement parce que ce ne sera pas biologiquement possible.

A.L. : Je ne partage pas votre avis. Certaines de ces manipulations seront techniquement possibles. Mais ce n'est pas parce que ce sera techniquement possible qu'il faudra le faire ! Il est techniquement possible de vitrifier la planète avec des bombes nucléaires et, heureusement, on ne l'a pas fait à ce jour. Bien sûr, vous allez dire que ce n'est pas du même ordre. Certes les conséquences seraient moindres, mais ces nouvelles techniques n'apporteront rien au bien-être général de l'humanité et localement elles ne pourraient que satisfaire des caprices ou des intérêts particuliers comme celui d'un couple homosexuel masculin qui voudrait absolument avoir un enfant à deux... Ma réponse est simple : je ne vois pas de raison absolue et définitive d'empêcher ce genre de pratique... mais à coût social zéro : en dehors de la médecine qui soigne les gens, en dehors de la Sécurité sociale qui paie pour la solidarité... La procréatique expérimentale et sophistiquée, tant qu'elle ne se fait pas contre l'intérêt des enfants à naître, me semble difficile à interdire par principe. Mais évidemment elle ne doit en aucune manière être encouragée et encore moins subventionnée.

J.B. : Oui dans la situation actuelle. Mais on peut imaginer une catastrophe naturelle, toxique, chimique... qui condamnerait tous les êtres humains à mourir et à disparaître... Et dans ce cas n'accepterions-nous pas l'idée de fabriquer des êtres humains différents, des hommes capables de survivre à cette catastrophe ?

A.L. : Effectivement ! S'il apparaissait un virus susceptible de détruire tous les porteurs du chromosome Y, il serait urgent d'encourager la parthénogenèse ou bien la fécondation d'un ovule par un autre ovule. Mais c'est heureusement encore très hypothétique...

À la recherche de l'enfant parfait

**« Albert Einstein avait une malformation
du cerveau qui, aujourd'hui décelée chez
un fœtus, conduirait peut-être à l'avortement
thérapeutique... »**

C.L. : *Il y a quelques mois une généticienne
américaine de trente ans a mis au monde une
petite fille. Cet heureux événement serait passé
inaperçu si l'on n'avait appris les circonstances
particulières de cette naissance. La mère en effet
se savait porteuse d'un gène l'exposant à développer une forme précoce de la maladie d'Alzheimer. Elle a vu la terrible maladie à l'œuvre chez
sa sœur atteinte à l'âge de trente-huit ans, chez
son frère dont les troubles de mémoire ont
commencé à l'âge de trente-cinq ans et chez son
père qui en est probablement mort à quarante-
deux ans. Pour ne pas prendre le risque de trans-
mettre cette anomalie génétique, la généticienne
a donc demandé lors d'une FIV un dépistage pré-
implantatoire, ou DPI, un test qui permet de
savoir si un embryon est porteur ou non d'une
mutation. L'idée étant que si la mère risque de*

ressentir les premiers symptômes de la maladie d'ici quelques années, sa petite fille ne possédera pas le gène défectueux. Cette histoire a soulevé bien des questions et notamment celle des limites du DPI : a-t-on le droit de l'utiliser pour dépister des maladies qui ne se déclareront pas avant trente-cinq ou quarante ans ? N'est-ce pas mettre le doigt dans un engrenage infernal qui nous mènera tout droit à l'enfant sur mesure ? En France, je le rappelle, le DPI n'est autorisé que dans de rares cas de maladies très graves de l'enfant.

J.B. : J'ai un argument très fort à opposer à cette orientation : Blaise Pascal, Wolfgang Amadeus Mozart, Évariste Galois avaient accompli leur œuvre bien avant quarante ans !

A.L. : Très juste. Mais ces trois exemples ne gommeront pas la terrible réalité : un Alzheimer précoce, c'est atroce. Quand ce genre de gène traîne dans une famille, cela signifie qu'elle a déjà été une fois, deux fois, trois fois... frappée par le fléau. Je trouve légitime qu'elle refuse de vivre le même malheur encore une fois. Comme je trouve légitime que les gens qui ont déjà eu un enfant gravement handicapé refusent de vivre une deuxième fois une telle épreuve.

J.B. : Quand la maladie frappe le jeune enfant, j'entends bien. Mais lorsque la maladie ne doit pas se déclarer avant quarante ans ? Quarante ans laissent le temps d'accomplir une œuvre. Et de vivre tout simplement. De plus on peut légitimement espérer que d'ici là les progrès des neurosciences auront apporté la solution, que l'on saura soigner ou prévenir Alzheimer.

A.L. : On peut l'espérer mais en aucun cas l'assurer aux parents. Cette histoire est un parfait cas d'école parce que l'on trouvera des gens, comme vous, farouchement contre le dépistage dans ces circonstances, et d'autres absolument pour. Et aucun argument décisif ne permettra de trancher ni de trouver un consensus. Car encore une fois c'est un problème de limites. Nous sommes à la frontière entre l'acceptable et l'inacceptable et ce qui fait bouger le curseur dans un sens ou dans l'autre est de l'ordre de la morale personnelle. Or dans une société démocratique où s'expriment différentes cultures, il est impossible de mettre tout le monde d'accord sur des sujets pareils.

J.B. : Il est certain qu'aux extrêmes – prévenir la naissance d'enfants porteurs de graves malformations et réclamer l'enfant sur mesure – la décision est simple, l'accord aisé à trouver. Éviter la naissance d'un enfant anencéphale ne choque pas grand monde. Tout comme personne n'envisagerait le DPI ou l'avortement thérapeutique pour un enfant à six doigts. Mais entre ces deux extrêmes s'étale une série infinie de situations intermédiaires pour lesquelles il est malaisé de trancher.

A.L. : Tout à fait. Si on pouvait utiliser le DPI pour dépister un bec de lièvre ou un pied bot devrait-on le faire ? Peut-être si une telle anomalie a déjà été très mal vécue dans la famille. La question est la même pour le dépistage prénatal, ou DPN, c'est-à-dire les techniques génétiques, biochimiques, les échographies et les amniocentèses qui permettent de dépister certaines anomalies et éventuellement de proposer un avortement thérapeutique.

J.B. : Je souligne au passage que thérapeutique est un mauvais mot, un leurre sémantique car évidemment l'avortement ne soigne rien du tout.

A.L. : Certes, mais on admet aujourd'hui dans nos sociétés l'avortement d'enfant n'ayant aucun défaut connu sous prétexte de la détresse des parents. Est-ce que l'on admet que la perspective d'avoir un enfant avec un bec de lièvre, par exemple, soit la source d'une détresse parentale aussi grave que la détresse de la mère qui économiquement ne peut pas entretenir son enfant ?

C.L. : *Mais là ne se dirige-t-on pas vers une pratique eugéniste ? Vers une idée d'enfant fabriqué à la carte et vers une recherche excessive d'une qualité de l'embryon et de l'enfant ? J'irai plus loin : n'a-t-on pas déjà franchi la barrière ? En France aujourd'hui ne sommes-nous pas dans une société eugéniste à partir du moment où on pratique le dépistage en masse de la trisomie 21 qui n'est pas une maladie mortelle ?*

A.L. : Je voudrais que l'on oublie le mot eugénisme qui existait bien avant le nazisme et les régimes totalitaires. Au XIXe et au début du XXe siècle l'eugénisme était considéré comme la voie de l'avenir et du progrès par de très nombreux médecins...

J.B. : ... et écrivains ! Relisez Zola.

A.L. : ... L'eugénisme, qui veut dire « bonne naissance », s'attachait à fournir les enfants les plus beaux et les plus heureux possibles. On espérait, avec une prétention exagérée, éviter des malheurs et produire du bonheur en améliorant les conditions de la reproduction. Et cela concernait tous les domaines. En premier chef le nombre d'enfants : la contraception a été un élément de l'eugénisme. L'intention était donc bonne mais malheureusement, en son nom, on a fait des choses épouvantables comme de stériliser aux États-Unis des femmes pauvres pour « éliminer les gènes de la pauvreté » ! Et puis, bien sûr aujourd'hui, à cause des horreurs innommables qui se sont passées dans les camps pendant la Seconde Guerre mondiale, si vous parlez de société « eugéniste », les gens entendent « nazie ». Ce qui est faux : nous ne sommes pas dans une société nazie. C'est pourquoi je me méfie de ce mot ambigu. En fait un pays où la plupart des femmes utilisent la pilule ou d'autres contraceptifs est une société eugéniste, selon la définition historique. Reste que personne ne songe à revenir en arrière et à imposer aux femmes les conditions de fécondité naturelle dans lesquelles elles feraient quinze ou vingt enfants au cours de leur vie.

C.L. : *C'est certain. Mais aujourd'hui, il ne s'agit plus de simplement contrôler le nombre de nos enfants mais de les « sélectionner » en quelque sorte...*

A.L. : Il ne faut pas se voiler la face, nous pratiquons la sélection : les DPI, l'interruption médicale de grossesse pour des motifs graves, c'est de la sélection. Empêcher les handicapés mentaux comme les trisomiques de faire des enfants, c'est de la sélection. Le principe de la sélection ne me gêne pas en soi : la Nature elle-même est la grande prêtresse de la sélection. Même si cela paraît abominable à certains, regardez ce qui se passe sans intervention humaine : dans les premiers stades de la vie embryonnaire, la plus grande partie, peut-être huit sur dix des embryons meurent. L'avortement est la chose la plus naturelle qui soit et quand on examine les embryons qui donnent lieu à ces fausses couches en début de grossesse, ce sont très souvent des embryons porteurs de malformations génétiques graves. Ce n'est donc que poursuivre « l'œuvre du créateur », pour paraphraser quelqu'un, que d'éliminer des embryons gravement atteints qui ont échappé à ce tri de la sélection naturelle.

Le problème, on y revient, est celui de la limite : quel est le degré de qualité de vie qui pourrait être sélectionné ?

Nous sommes dans une société qui a une certaine définition de la vie et de la dignité humaine, et qui se permet d'intervenir quand on est au-delà de cette définition. Mais cet au-delà n'est pas très facile à préciser parce que selon les religions, les philosophies, les opinions personnelles... personne ne le définit de la même manière !

J.B. : Vous avez beau jeu de vous retrancher derrière la sélection naturelle pour oublier que notre premier devoir est de protéger la vie. Et heureusement qu'on le fait : j'ai entendu dire qu'en d'autres temps on avait envisagé de laisser mourir un enfant par trop malingre et maladif... qui s'appelait Marcel Proust. Albert Einstein avait une malformation du cerveau qui, aujourd'hui décelée chez un fœtus, conduirait peut-être à l'avortement thérapeutique...

A.L. : Au risque de vous scandaliser, je répondrai que si Marcel Proust n'était pas né, la Terre ne se serait pas arrêtée de tourner. Nous serions là sans lui. Nous avons le culte du génie qui se traduit par la peur de ne pas exister sans lui. Quelle erreur ! L'histoire serait différente, mais il y aurait quand même une histoire. Le fait que l'on prenne des mesures qui évitent dans des milliers de familles des malheurs comme la naissance d'enfants gravement handicapés et que le coût de cela soit, de temps en temps, de supprimer par erreur un Einstein ou un Marcel Proust ne me gêne pas.

C.L. : *Bien sûr tout le monde a envie d'avoir un enfant bien portant et personne n'a envie − a priori − d'avoir un enfant malade. Mais la technique ne nous pousse-t-elle pas insidieusement plus loin que ce désir naturel ? Je veux dire par là qu'autrefois on ne savait pas grand-chose de ce qui se déroulait pendant la grossesse. Aujourd'hui grâce aux échographies notamment, on « voit » le fœtus. On voit même l'embryon des tout premiers jours grâce à la FIV. On voit et parfois on intervient... D'où, disent certains, la tentation de contrôler tout le processus de fabrication du bébé, comme on contrôle le processus de fabrication des objets. Les mêmes Cassandre prédisent la marche inéluctable vers la demande d'enfants sur mesure....*

J.B. : Je souscris tout à fait à cette idée : demain quand nous saurons voir chez l'embryon que l'enfant aura telle, telle et telle caractéristiques... qu'il sera un garçon, une fille, qu'il aura les yeux bleus, les cheveux frisés et la bosse des maths... vous aurez des parents qui diront : « On n'en veut pas. » Vous imaginez l'embarras des médecins dans cinquante ou cent ans lorsqu'ils seront consultés pour des cas comme ça ? Bien sûr, direz-vous, ils pourront toujours refuser d'accéder aux demandes aberrantes. Mais les gens essuieront un, deux, trois refus... Puis ils trouveront un quatrième médecin qui ira dans le sens qu'ils souhaitent, c'est hautement probable.

A.L. : Les médecins devront être de bons pédagogues pour expliquer toutes les données du problème. Mais ensuite ce sera aux gens concernés, aux parents, de décider. Regardez ce qui se pratique en Inde aujourd'hui : on se débarrasse d'embryons sous prétexte de leur sexe féminin... Or nous allons vers un monde ouvert. Donc un certain nombre de réglementations ne pourront être que minimales parce que communes à toutes les cultures... C'est inéluctable. La seule solution démocratique possible est de s'en remettre à la responsabilité des individus !

J.B. : Mais restera-t-il encore des limites morales ? Aujourd'hui on sait que l'on est ou que l'on sera capable de manipuler les gènes, de les changer, de les modifier. Ce sera formidable lorsque l'on sera face à une grave maladie génétique. Ce le sera beaucoup moins lorsque des parents nous diront : nous voulons absolument un enfant doué pour la musique. Ou notre premier enfant mesure 1,55 m, ne peut-on manipuler les gènes du second pour qu'il dépasse 1,80 m ?... Nos descendants seront confrontés à ces demandes, c'est certain.

C.L. : *Vous nous prédisez là un monde où l'enfant sera fabriqué à la carte. Quelle place aura l'enfant handicapé dans ce monde où mesurer 1,55 m ne sera plus acceptable... ?*

J.B. : J'ai connu l'époque dans les années 30 où on ne s'occupait pas du tout des enfants handicapés. On les laissait dans un coin et puis c'est tout. Les lois de la Sécurité sociale ont radicalement changé la prise en charge de ces enfants. Pour autant, la situation n'est pas toujours facile à vivre pour les parents.

A.L. : Outre que nous sommes techniquement très loin de l'enfant sur mesure, je rappellerai que la France est le pays de la déclaration des droits de l'homme et du citoyen. Et que cette déclaration protège le dit citoyen dès sa naissance et donc interdit par principe l'euthanasie des handicapés et autres horreurs que l'on pourrait imaginer. Je ne pense pas que notre société risque aujourd'hui de se déshonorer en abrogeant cette loi qui fait presque l'unanimité.

C.L. : *Mais la place que notre société*

accorde aux handicapés ne sera-t-elle pas de plus en plus congrue ? N'y a-t-il pas déjà un malaise au sujet de leur situation, comme l'a bien montré l'affaire Perruche ? Nicolas Perruche est un jeune homme sourd, muet, presque aveugle et atteint d'un lourd handicap mental suite à une rubéole que sa mère avait contractée pendant sa grossesse. Un laboratoire s'était trompé dans ses analyses et avait à tort rassuré Mme Perruche, la privant de la possibilité d'effectuer une interruption médicale de grossesse comme elle en avait exprimé le désir. En novembre 2000 la Cour de cassation a décidé d'indemniser Nicolas Perruche lui-même, non ses parents. L'arrêt Perruche a depuis été cassé non sans avoir fait couler beaucoup d'encre et soulevé beaucoup d'émotion : les uns voyant dans cet arrêt se profiler un « droit à ne pas naître ». Et le germe d'une discrimination inacceptable entre les enfants handicapés nés suite à une erreur médicale et ceux nés après que leurs parents ont refusé l'avortement thérapeutique et accepté leur handicap. D'autres ont vu dans cette affaire le désir légitime des parents d'assurer au mieux, y compris après leur mort, l'avenir matériel de leur enfant.

A.L. : L'arrêt Perruche est juridiquement très complexe, je ne voudrais pas entrer dans ses arcanes. Je dirai simplement que cette affaire traduit très bien, par une confusion juridique et médicale absolue, le fait que notre société ne prend pas en charge les handicapés comme elle le devrait. À partir du moment où un handicapé est un citoyen, on doit le traiter comme tel de sa naissance à sa mort.

Or si l'aide aux enfants handicapés s'est dans l'ensemble beaucoup améliorée (même si l'on est loin du compte en matière de nombre d'établissements d'accueil ou d'insertion, d'effectif en personnel qualifié, de remboursement des frais engagés, etc.) la prise en charge des adultes handicapés est quasi nulle. Résultat : quand l'enfant devient adulte, on le renvoie souvent aux parents... qui paradoxalement se retrouvent accablés par leur rôle parental à l'âge où les enfants ne devraient plus être à la maison. Et ceci jusqu'à leur vieillesse et leur mort, dans l'angoisse de ce qui pourra arriver aux adultes handicapés vieillissants qu'ils laissent souvent seuls derrière eux. Le moins que l'on puisse dire est qu'il reste énormément à faire pour réduire les inégalités naturelles des personnes handicapées et de leurs familles.

De l'enfant-médicament
à l'embryon-médicament

« Dans un pays qui autorise l'avortement jusqu'à la douzième semaine je trouve ridicule que l'on interdise de manipuler des embryons de cinq jours ! »

    C.L. : *À l'automne 2000, on a vu les photos de la famille Nash s'étaler dans les magazines. À première vue Lisa, Jack, Molly et Adam Nash formaient une famille américaine comme des millions d'autres. À première vue seulement car l'histoire d'Adam, le petit garçon, était singulière : il avait été conçu sur mesure pour sauver la vie de sa sœur aînée. Molly était en effet atteinte de l'anémie de Fanconi, une maladie héréditaire grave dans laquelle la production de moelle osseuse cesse peu à peu, d'où une anémie importante, des hémorragies et de sérieux troubles immunitaires. La petite fille de six ans était condamnée sauf à subir une greffe de moelle osseuse. Encore fallait-il trouver un donneur compatible. Mais ni Lisa ni Jack ne l'étaient. Les*

Nash savaient que leur deuxième enfant avait une chance sur quatre d'avoir la même maladie. Un risque qu'ils n'étaient absolument pas prêts à courir. Ils ont donc demandé un diagnostic pré-implantatoire un peu particulier : les biologistes ont trié parmi les embryons obtenus par FIV ceux qui n'étaient pas porteurs de la maladie mais qui, en même temps, possédaient des groupes tissulaires compatibles avec ceux de Molly. Et c'est ainsi qu'après plusieurs tentatives, Adam est né. On a aussitôt prélevé des cellules dans son cordon ombilical, pour les mettre en culture puis les transplanter chez sa sœur qui aujourd'hui semble sauvée.

Devant cette première affaire de bébé-médicament les uns se sont émus de voir s'ouvrir l'ère de l'esclavage biologique, avec des enfants fabriqués comme de simples réservoirs de cellules, sans compter tous les embryons sacrifiés. D'autres ont salué un grand espoir pour les familles touchées par ce type de maladies... Depuis, la Grande-Bretagne a donné le feu vert à cette pratique. La France n'a pas encore tranché : le CCNE se montre très réticent, même s'il ne condamne pas le désir légitime des parents de vouloir sauver leur enfant malade. Les avis sont très partagés : a-t-on le droit de faire un enfant pour sauver un autre enfant ?

J.B. : Pour avoir soigné beaucoup de jeunes leucémiques au cours de ma vie professionnelle, j'ai été confronté plus d'une fois au cas tragique où le seul espoir de sauver l'enfant est de faire une greffe de moelle mais où l'on ne trouve pas de donneur compatible ni dans la famille, ni à l'extérieur. Bien avant la mise au point du DPI, il est arrivé que les parents éplorés décident de se lancer dans une nouvelle grossesse, dans l'espoir avoué que le nouveau bébé soit compatible. Un espoir pas complètement vain : on trouve en général les meilleurs donneurs parmi les frères et sœurs du malade. Parfois l'histoire s'est bien terminée : le cadet était compatible avec l'aîné. Parfois non. J'ai connu des cas où les parents ont demandé au cours de la grossesse la détermination du groupe HLA (qui régit la compatibilité) du fœtus pour demander l'avortement si ce n'était pas le bon HLA ! Certains ont ainsi avorté plusieurs fois... J'ai réussi à en décider d'autres à garder l'enfant et à en faire encore un autre après... Mais c'est un épouvantable problème moral.

A.L. : Je comprends très bien que des parents soient prêts à n'importe quoi pour sauver leur enfant. Si ma fille était leucémique, je ferais absolument tout ce qui serait en mon pouvoir pour la soigner. Y compris des choses que je trouverais absurdes dans d'autres situations. Alors, malgré mes réticences pour tout le contexte technique, je comprends que des parents veuillent donner la vie à un enfant pour en sauver un autre. Dans les cas de leucémie, il y a urgence : on ne peut pas demander aux couples de porter un, deux, trois bébés qui ne sont pas compatibles... en attendant d'en faire un compatible. Le DPI est donc la seule solution technique rationnelle susceptible de les rapprocher de leur objectif assez rapidement.

C.L. : *Et si la greffe ne prend pas et que l'aîné décède tout de même. Qu'adviendra-t-il de l'enfant qui n'a pas été conçu pour lui-même mais pour sauver son frère ?*

A.L. : Eh bien tout peut rater en médecine. Ce n'est pas une science exacte. La greffe avec la moelle d'un frère ou d'une sœur déjà né peut aussi ne pas réussir ! Et l'échec est tout aussi épouvantable. Dans tous les cas, c'est à l'équipe médicale de préparer les parents à cette éventualité et à décider si la famille est assez forte pour se lancer sciemment dans l'aventure. Quant au nouveau-né, pourquoi ne serait-il pas aimé ? Vous savez, le monde est plein d'enfants qui n'ont pas été conçus pour eux-mêmes mais pour conserver un héritage, fournir des bras à l'entreprise, sauver un couple...

J.B. : J'ajouterai que lors de la naissance d'un enfant, on sait depuis quelques années se servir du sang contenu dans le cordon ombilical – ce qu'on a fait pour le petit Adam – pour soigner l'aîné malade. Le risque est inexistant pour le bébé qu'on ne touche même pas. Alors qu'avec une greffe de moelle classique, le risque est très, très petit – c'est celui d'une anesthésie générale – mais il n'est pas complètement nul pour le donneur. Je ne me souviens pas de cas de mort du donneur, mais je comprends la réticence de certains parents qui s'effraient parce qu'ayant déjà un enfant atteint d'une maladie mortelle ils sont paralysés par la crainte qu'il arrive malheur au second... D'ailleurs si on n'a pas l'accord complet de la famille, on renonce. Mais je le répète : le risque est infime et la moelle osseuse se régénère toute seule chez le donneur. Dans cette histoire d'enfant-médicament ce n'est pas tant l'idée de donner la vie pour sauver une autre vie qui pose une question morale que la création inéluctable, à cause de la technique du DPI, d'embryons surnuméraires. Et vous connaissez ma position sur le sujet : ces embryons soulèvent un problème éthique très important.

C.L. : *Puis-je en déduire que vous n'approuvez pas l'idée de faire des recherches sur l'embryon ? Et que vous n'acceptez pas non plus la perspective du clonage thérapeutique, interdit aujourd'hui dans notre pays, c'est-à-dire l'éventualité de créer des embryons-médicaments dans l'espoir de soigner des malades ?*

J.B. : Exactement. Si on respecte l'être humain il faut interdire toute recherche sur l'embryon. Je ne vois pas de différence entre les expérimentations sur l'homme et celles sur l'embryon. Or aujourd'hui les expériences menées sur ce dernier ne peuvent aboutir qu'à sa destruction.

A.L. : Vous ne serez pas surpris : je ne suis pas du tout d'accord avec vous. J'ai une position très radicale : ces questions de respect de l'embryon sont fondées sur des conceptions biologiques et philosophiques fausses. On ne peut pas respecter un individu qui n'existe pas. Une morula n'est pas un individu. C'est un tas de cellules qui ne sont pas plus respectables que n'importe quelles cellules de l'organisme. Nous perdons chaque jour environ quatre-vingts cheveux, et des cellules par milliers dont les noyaux contiennent tout notre patrimoine génétique. Par clonage, tous pourraient redonner des êtres humains potentiels. Personne ne court après ses pellicules pour sauver les noyaux qui gisent à l'intérieur. La seule chose que l'on doit respecter chez l'embryon comme chez tout être vivant, humain ou pas, c'est sa souffrance. Voilà d'ailleurs le seul point qui me mette d'accord avec les protecteurs fanatiques des animaux : il n'y a aucune raison de faire souffrir gratuitement un animal. Par ailleurs la souffrance humaine ou animale ne peut pas exister avant que le système nerveux existe et fonctionne... Chez l'homme, jusqu'à la dixième ou douzième semaine les neurones n'existent d'abord pas, puis n'ont pas d'activité. C'est à ce stade seulement que commence leur migration (ils seront quatre-vingts milliards !)

vers leur localisation définitive, une migration qui se terminera au sixième mois de la grossesse pour former le réseau neuronal qui sera à l'origine des relations du futur nouveau-né avec l'extérieur... Alors un embryon de quelques jours ne peut en aucune façon souffrir. Et sur ces embryons de quelques cellules, de quelques dizaines de cellules au mieux qu'on envisage de faire des recherches. Dans un pays qui autorise l'avortement jusqu'à la douzième semaine, je trouve ridicule qu'on interdise de manipuler des blastocytes de cinq jours[1] !

J.B. : Mais ce sont des êtres humains dès le moment de la conception ! L'avortement est légal bien sûr mais ce n'est qu'un pis-aller, un assassinat parfois justifié notamment par la détresse de la mère. Dans mon laboratoire, nous avons toujours résisté à l'idée de travailler sur les embryons.

C.L. : *Pourriez-vous préciser ce que serait l'intérêt de ces recherches ?*

A.L. : D'abord les fameuses cellules souches. En fait, au tout premier stade de la vie embryonnaire, jusqu'au quatrième jour, toutes les cellules sont totipotentes : chacune d'entre elles est capable, dans de bonnes conditions, de donner naissance à un individu complet. Puis pendant

---

1. Voir schéma page 173.

encore quelques jours les cellules internes de l'embryon restent multipotentes : c'est-à-dire que chacune d'entre elles est capable de produire n'importe quel tissu ou organe : sang, foie, cœur, peau, cerveau, etc. Ensuite, petit à petit, elles se spécialisent pour former le futur bébé. Depuis 1998, on sait extraire et mettre en culture ces cellules multipotentes, que l'on appelle cellules souches embryonnaires (cellules ES). Aujourd'hui on ne sait pas contrôler leur différenciation. Mais l'espoir bien sûr est d'y parvenir pour obtenir non pas des organes complets en trois dimensions comme le cœur ou l'œil dans un premier temps, mais au moins des tissus comme la cornée ou la moelle osseuse. Ou encore des lignées de neurones ou de cellules cardiaques... qui serviraient de pièces de rechange pour les malades aujourd'hui condamnés qui en ont besoin. C'est ce qu'on appelle la thérapie cellulaire[1].

C.L. : *Mais n'a-t-on pas découvert chez des adultes des cellules souches dont on pourrait également se servir pour soigner certains malades ?*

A.L. : Tout à fait. À la toute fin du dernier millénaire on a découvert dans le cerveau des cellules souches capables de produire de nouveaux neurones, même chez la personne âgée ! C'était

---

1. Voir schéma page 171.

rassurant et très surprenant parce que cela bouleversait un dogme bien ancré chez les biologistes :
la finitude du stock de neurones chez l'adulte. Par
ailleurs un chercheur italien a montré que chez
la souris des cellules souches neurales pouvaient
se transformer en cellules souches hématopoïé-
tiques. Ou si vous préférez que l'on pouvait changer du cerveau en moelle osseuse ! Révolution
dans les labos : cela bouleversait un autre dogme :
celui de l'irréversibilité de la différenciation cellulaire. On croyait qu'une cellule promise à devenir une cellule nerveuse, par exemple, ne pouvait
soudain changer de destin pour finir comme cellule du sang. Eh bien si ! Et certaines cellules
montrent une plasticité extraordinaire : on a vu
des cellules de la moelle osseuse se transformer
en cellules pulmonaires, intestinales, hépatiques,
musculaires. Des cellules du muscle se transformer en cellules du sang, etc. Cette découverte est
vraiment révolutionnaire, mais peut-être pas aussi
formidable qu'on l'a cru. Car ces cellules souches
adultes (CSA) n'ont pas du tout les potentialités
des cellules embryonnaires. Elles se sont déjà
trop divisées pour être vraiment juvéniles. Leur
capacité de prolifération n'est plus assez bonne,
ce qui n'est pas étonnant biologiquement parlant.

C.L. : *Elles ne sont donc pas intéressantes
pour la médecine ?*

A.L. : Je ne dirais pas ça. Les perspectives

thérapeutiques ne sont pas nulles : une équipe française notamment a prélevé des cellules souches dans un muscle de la cuisse et les a cultivées avant de les réinjecter, avec succès, dans le cœur d'un malade endommagé par un infarctus pour favoriser la cicatrisation. C'est une voie de recherche intéressante mais pas assez prometteuse a priori pour que l'on puisse se permettre de renoncer aux recherches sur l'embryon comme l'ont proposé certains chercheurs.

J.B. : L'avantage avec les cellules souches adultes est que, les cellules appartenant au malade, il n'y a pas de problème de rejet. Comme il n'y a pas deux individus génétiquement identiques en dehors des jumeaux vrais, lors d'une greffe de tissu ou d'organes la compatibilité n'est jamais parfaite. Et les patients doivent prendre des médicaments anti-rejet toute leur vie. Nous n'aurons pas ce problème avec les CSA.

A.L. : C'est pour cette raison de compatibilité que nous devrions nous lancer dans le clonage thérapeutique encore appelé « transfert de noyau somatique » par ses partisans dans l'espoir de rassurer le public.

J.B. : Je vous l'ai déjà dit : les scientifiques se réfugient toujours derrière le vocabulaire pour celer leur méconnaissance ou leur arrière-pensée.

A.L. : Oui mais là, la technique est connue

si elle n'est pas encore maîtrisée chez l'humain. Il s'agit de prendre une cellule du malade, de l'introduire dans un ovule vidé de son noyau. On obtient ainsi une sorte d'œuf artificiel qu'on laisse se diviser pendant cinq ou six jours jusqu'au stade où l'on pourrait prélever les fameuses cellules ES. Cellules que l'on cultiverait pour former des neurones, du muscle, etc., comme je l'ai déjà expliqué, mais qui auraient l'immense avantage d'être génétiquement identiques au malade, donc d'éviter tout problème de compatibilité[1]. Ce serait un immense espoir pour des maladies comme Alzheimer, Parkinson, le diabète... Ou certaines cécités liées à la dégénérescence de la cornée. La greffe de cornée est une opération qui marche très bien et rend la vue à des centaines de patients, mais nous manquons cruellement de donneurs, en particulier pour les receveurs âgés que l'on abandonne à leur cécité et à leur malvoyance. Le jour où l'on pourra cultiver in vitro des tissus comme la cornée humaine, à mon avis on ne se posera plus de question éthique : on le fera. De plus, cela évitera le prélèvement de greffon sur les yeux de cadavres frais, une opération toujours très dure pour les familles frappées par un deuil brutal.

C.L. : *En France il semble qu'on s'achemine vers l'autorisation de travailler soit sur des embryons congelés surnuméraires que les parents*

---

1. Voir schéma page 171.

donneraient à la recherche, soit sur des lignées de cellules souches embryonnaires qui existent déjà. Mais le clonage thérapeutique restera interdit. Plusieurs raisons sont avancées pour justifier cette interdiction : le risque de l'émergence d'un véritable trafic d'ovules qui exploiterait les femmes démunies. Le risque d'ouvrir la porte au clonage reproductif. Et le refus d'instrumentaliser, de réifier l'embryon...

A.L. : Je ne trouve pas ces raisons recevables. D'abord la commercialisation des ovules comme du sperme est interdite en France et il est hors de question de revenir sur la gratuité du don. Aujourd'hui la technique n'est pas au point, mais demain on pourra certainement récupérer les ovaires (qui contiennent des centaines de milliers d'ovules !) chez les fœtus féminins issus des fausses couches et les faire mûrir in vitro. Ensuite, la différence fondamentale entre le clonage reproductif et le clonage thérapeutique est qu'il faut implanter l'embryon dans un utérus dans le premier cas : or ce n'est pas parce que deux ou trois médecins fous veulent briser l'interdit que le reste de la communauté scientifique va perdre la tête, se lancer dans la course aux clones et convaincre suffisamment de femmes de se lancer dans l'aventure. Enfin, on en revient toujours à l'épineux problème du statut de l'embryon. Si j'étais jésuite, je dirais qu'avec la méthode du clonage thérapeutique on ne fabrique pas de vrais embryons puisqu'il n'y a ni fécondation, ni implantation dans l'utérus. Dans cette perspective on peut donc se demander ce qui est le plus éthique : expérimenter sur des embryons conçus dans le cadre d'un projet parental et déchus de ce projet ? Ou bien travailler sur des cellules expressément fabriquées pour la recherche et la thérapeutique... ?

J.B. : Encore une histoire de vocabulaire ! La difficulté à répondre ne vient-elle pas de notre manque de connaissance ? Dans dix ans, dans cent ans les connaissances embryologiques auront beaucoup progressé et l'on saura peut-être quoi répondre parce que l'on saura de quoi on parle... N'oublions pas ce qui s'est passé pour la transfusion sanguine. Les groupes sanguins A, B et O, ont été découverts par un Viennois, Karl Landsteiner, en 1900. Cela permit d'établir une méthode de transfusion sanguine sûre. Pourtant, pendant quinze ans, personne n'a voulu faire de transfusion parce que régnait alors l'idée qu'on n'avait pas le droit de modifier l'individu en apportant un sang étranger ! Il a fallu les progrès de la génétique d'une part et la « boucherie » de la Première Guerre mondiale d'autre part pour qu'en 1916 à Salonique on fasse les premières transfusions sanguines. Le savoir et la nécessité ont changé la donne mais de nombreuses personnes que l'on aurait pu sauver sont mortes pendant ces seize années.

C.L. : *La différence est que la découverte*

des groupes sanguins rendait la transfusion opérationnelle immédiatement. Alors que nous sommes très loin de fabriquer des tissus ou des organes in vitro. Les espoirs soulevés par les cellules souches sont très grands mais nous n'en sommes qu'au tout début des recherches, les obstacles sont énormes et peut-être n'arriverons-nous jamais à rien. Ne serait-il pas plus sage d'établir un moratoire avant de se lancer dans ce type de recherche sur les embryons humains le temps de trouver un consensus ?

J.B. : Il ne faut pas arrêter les progrès de la connaissance : si on avait écouté les adversaires de Pasteur, nos enfants mourraient toujours de tuberculose et de diphtérie maligne. Pourtant deux précautions seraient nécessaires. Dans le temps et dans l'espace. Dans le temps ce serait effectivement le moratoire, comme l'avaient décidé les généticiens à Asilomar en 1975. Pendant deux ou trois ans les recherches sont arrêtées le temps de préciser les risques, les limites, de prendre les garanties, les mesures de protection indispensables. Dans l'espace : seuls seraient autorisés à poursuivre les recherches des laboratoires agréés définis par leur haute qualité technique et la vertu de leurs dirigeants.

A.L. : Je suis résolument contre les moratoires parce que l'expérience montre qu'ils empêchent les chercheurs qui les respectent de progresser pendant que les autres foncent ! Dans ce domaine, d'ailleurs, la recherche française prend déjà du retard par rapport à la Grande-Bretagne et aux États-Unis. Non, il n'y a que deux bonnes solutions : l'autorisation ou l'interdiction.

C.L. : *Y a-t-il une urgence scientifique à travailler sur ces cellules souches embryonnaires ? Ne pourrait-on pas commencer par les cellules ES des autres mammifères le temps d'atteindre le niveau de savoir suffisant pour décider « en toute connaissance de cause » ?*

A.L. : Si l'on vise des applications à l'homme et si l'on ne travaille que sur les autres mammifères on perd du temps pour les malades car on ne pourra pas passer directement de l'animal à l'humain. Pour ma part l'enjeu du respect de la nature humaine des cellules souches n'est pas une raison suffisante pour retarder la recherche. D'autant plus qu'il n'est pas exclu que, dans certains cas, on réussisse directement sur l'homme des manipulations qui ne réussissent pas sur l'animal. Ne serait-ce que parce que, dans beaucoup de domaines, on connaît mieux la biologie humaine que la biologie animale. En immunologie par exemple, pour parler de ce que le Pr Jean Bernard connaît bien. L'immunologie humaine est très en avance sur l'immunologie animale et aujourd'hui on transfère sur la vache ou le mouton ce que l'on a découvert sur l'homme.

J.B. : Il y a toujours urgence à diminuer le malheur. Dans ma vie de médecin, j'ai vu assez de gens frappés par la maladie et la souffrance pour le dire. Mais cela ne dispense pas du temps de la réflexion.

Euthanasie : une question insoluble

« Je continue de penser qu'il faut rester dans l'interdit et dans la transgression. »

C.L. : *Une autre histoire dramatique a déclenché des débats passionnés : celle de Diane Pretty. Atteinte d'une grave maladie dégénérative du système nerveux, la sclérose latérale amyotrophique, cette Anglaise de quarante-quatre ans est allée, en fauteuil roulant, plaider sa cause devant la Chambre des lords, puis devant la cour européenne des droits de l'homme à Strasbourg. Sans succès. Complètement paralysée, ne pouvant plus manger, s'exprimant à l'aide d'un ordinateur, la jeune femme était condamnée à mourir étouffée, ses poumons paralysés. Elle le savait, ayant conservé toutes ses facultés intellectuelles, et réclamait le droit de choisir le moment de sa mort pour s'épargner « la douleur et la perte de dignité » qui accompagneraient un décès naturel. Brian, son mari depuis vingt-six ans, était prêt à l'aider. Mais aux termes de la loi anglaise, aider quelqu'un à se suicider revient à commettre un crime, un acte passible de quatorze ans de prison.*

Diane Pretty demandait donc par avance l'immu-
nité de son mari... qui lui fut refusée. Elle est
morte quelques semaines plus tard dans une cli-
nique anglaise. Sa démarche, qu'elle a voulue
publique, très relayée par les médias a relancé le
débat sur l'euthanasie... Tout comme, plus récem-
ment, en France le cas du jeune handicapé de la
route qui a écrit à Chirac en demandant le droit
de mourir. Un débat très ancien pour une fois,
puisqu'il doit être aussi vieux que la médecine.

J.B. : Oui mais le problème de l'euthanasie
est, à mon sens, le modèle du faux problème. La
première fonction du médecin est de lutter contre
la mort. Or dans certains pays on voudrait confier
aux médecins le soin d'organiser l'euthanasie.
C'est une hérésie ! Bien sûr cette lutte contre la
mort a des limites. Il ne faut pas faire preuve,
comme dit le code de déontologie médicale,
d'« obstination déraisonnable » et refuser d'admettre qu'un homme est voué à mourir. On peut
alors, devant une maladie incurable et très douloureuse, arrêter le traitement, cesser de faire des
examens souvent pénibles. Tout homme, toute
femme a le droit de mourir en paix. Il m'est arrivé
– non de provoquer la mort – mais de ne pas
utiliser tel ou tel médicament parce que je savais
que le malade vivrait peut-être quinze jours de
plus grâce à ce traitement mais qu'il endurerait
des douleurs intolérables. Dans ces cas-là on
n'hésite plus aujourd'hui à donner des antalgiques pour calmer la douleur... même au risque

d'abréger l'existence. Mais l'intention est de limiter la souffrance, pas de provoquer la mort, et c'est une énorme différence. Le médecin essaie de trouver un compromis entre ses deux devoirs majeurs : retarder la mort et apaiser la souffrance. Je ne vois pas d'objection morale à cela. Pourtant je ne pense pas qu'une loi puisse réglementer l'euthanasie car – encore une fois – chaque cas est un cas particulier. Prenez l'exemple d'un homme de trente ans atteint d'une leucémie très douloureuse. Vous apprenez qu'un médicament venu de Californie permet de donner cinq ou six mois de vie supplémentaire avec, dans la moitié des cas, le risque de provoquer d'horribles douleurs. Que faites-vous ? Soit vous dites « en aucun cas je ne veux faire souffrir et donc je n'applique pas le traitement ». Vous pouvez dire aussi « peut-être que d'ici six mois on aura trouvé le bon traitement... ».

C.L. : *Mais vous parlez là de ce qu'on appelle l'euthanasie passive : laisser venir la mort en apaisant les souffrances. Vous la distinguez donc de l'euthanasie active : donner une substance létale à un malade pour accélérer le trépas.*

J.B. : Tout à fait. Regardez dans le Littré : euthanasie signifie « bonne mort », « mort douce et passive ». Pas « donner la mort », pas « action délibérée de mettre fin à la vie d'un malade ».

Passive ou active, je pense que la légalisation de l'euthanasie serait, selon toute vraisemblance, extrêmement dangereuse. Elle pourrait conduire à l'extermination des malades mentaux et des enfants malformés, comme ce fut le cas à l'époque hitlérienne.

A.L. : On ne peut amalgamer complètement le problème de l'euthanasie aux atrocités nazies. Les nazis ont exécuté des gens qui n'avaient pas du tout envie de mourir. Or certaines personnes revendiquent le droit de choisir leur mort en toute liberté. Ce sont souvent des mouvements minoritaires, mais il existe des gens qui réclament le droit de mourir dans la dignité, d'organiser leur mort comme ils l'entendent. Ne devons-nous pas les écouter ? C'est bien sûr difficile car – encore une fois – l'attitude face à la mort, comme vis-à-vis du début de la vie dépend terriblement des valeurs culturelles, religieuses, sociales. Pour le suicide, entre le tabou chrétien et le stoïcisme qui en revendique le droit comme ultime liberté... comment trouver une solution rationnelle ?

C.L. : *Dans les hôpitaux on réanime les suicidés. D'une certaine façon on ne respecte pas leur volonté de mourir...*

J.B. : C'est que l'on peut très bien changer d'avis au fil du temps. C'est pourquoi je ne suis pas convaincu par ce que l'on appelle bizarrement les testaments de vie – coucher par écrit que l'on désire mourir en cas de dégradation physique importante ou de souffrance trop rude. Un de mes patients, qui avait exprimé une telle volonté par écrit à trente ans, me fut, vingt ans plus tard, très reconnaissant de lui avoir permis de survivre, de guérir alors qu'il était atteint d'une maladie qui semblait irrémédiable.

C.L. : *Toutefois selon la loi française l'euthanasie est assimilable au mieux à la non-assistance à personne en danger. Au pire à l'assassinat et à l'homicide volontaire. N'est-il pas malsain de laisser une telle distance entre une possible application stricte de la loi et une réelle pratique médicale qui pour le moins « laisse mourir en paix » certains de ses malades, comme vous le disiez vous-même tout à l'heure ?*

A.L. : J'ajouterai que vous dites qu'il n'est pas possible de faire des lois, cependant, certains pays, comme les Pays-Bas, ou le Danemark, en font. L'Oregon autorise même le suicide assisté dans certaines conditions. En France on arrive souvent à des situations où tout le monde est mal à cause de ce hiatus entre la pratique et la loi. C'est le cas de ces infirmières ou de ces aides-soignantes qui ont aidé, voire ont carrément fait partir, des personnes âgées. Quand il y a eu malveillance, elles sont condamnées et c'est très bien. Mais parfois elles sont dispensées de peine.

Et là tout le monde est mal : la médecine parce que son premier devoir est de lutter contre la mort, la justice parce qu'elle se donne le droit de ne pas appliquer la loi dans ces cas-là. Peut-être faudrait-il une loi qui permette des exceptions.

J.B. : Je continue de penser qu'il faut rester dans l'interdit et dans la transgression. Car, pour paraphraser le ministre de la Santé Jean-François Mattéi, si la loi prévoit des exceptions, le danger est que de l'exception, on passe à la tolérance, de la tolérance à l'usage. Et que, petit à petit, l'usage ne devienne habitude. Or l'habitude tue l'interdit. Et ouvre la porte à toutes les dérives. Quand on est médecin, on connaît la bassesse humaine. Je soignais à l'hôpital Saint-Louis un industriel fortuné. Très fortuné. Ce vieil homme était atteint d'une leucémie lymphoïde chronique. C'est une maladie fatale mais d'évolution lente. Un jour j'ai vu débarquer dans mon bureau deux beaux messieurs très bien habillés, les fils du vieillard. « Notre père, me dirent-ils en substance, vient d'être victime d'un sérieux accident cardiaque. Il est question de l'opérer, de lui poser un stimulateur. Est-ce bien raisonnable ? Nous savons que vous n'êtes pas partisan de l'acharnement thérapeutique. Notre père a quatre-vingt-cinq ans, il est leucémique, ne vaut-il mieux pas le laisser mourir tranquillement ? » J'ai réservé ma réponse et appelé le médecin de famille après leur départ. J'ai ainsi appris que l'industriel avait trois enfants : les deux messieurs et une jeune femme morte en laissant une adolescente de seize ans. Or le testament, très particulier, stipulait que seuls les fils hériteraient si la jeune fille était encore mineure au moment du décès. Nous avons posé le stimulateur...

J'espère que les progrès de la médecine, le développement des soins palliatifs qui permettent d'entourer au mieux le malade, de le nourrir, de l'hydrater, de calmer sa douleur tout en préservant le plus de contacts possibles... limiteront dans l'avenir la fréquence des cas poignants que nous venons d'évoquer. Même si je ne suis pas sûr qu'il faille créer comme aujourd'hui des unités de soins uniquement consacrées aux soins palliatifs : mieux vaut laisser des malades dont le cas est désespéré avec des malades moins gravement atteints. L'amélioration de l'autre aide souvent le malade condamné, lui apporte un réconfort peu justifié mais bienfaisant.

C.L. : *Les soins palliatifs sont un grand progrès dans la prise en charge des malades en phase terminale qui sans morphine ou autres antalgiques endureraient d'horribles douleurs. Mais que faire dans les cas où il n'y a pas à proprement parler de souffrance physique ? Je pense d'abord aux personnes plongées dans d'interminables comas et...*

A.L. : Je vous arrête tout de suite : attention à ne pas confondre coma et mort cérébrale ! Dans certains cas le cerveau est irrémédiablement détruit. La personne n'a aucune chance de se « réveiller ». C'est d'ailleurs la définition légale de la mort en France : deux encéphalogrammes plats successifs. C'est dans ces cas-là que l'on envisage parfois de prélever des organes pour d'éventuelles greffes et de sauver ainsi d'autres vies. En ce qui concerne le coma proprement dit, tous les cas de figure sont possibles. Comme dans le film d'Almodovar, *Parle avec elle*. Le malade peut se réveiller un jour, ou jamais. Ce ne sont pas des situations qui n'arrivent qu'au cinéma. J'ai personnellement eu un ami qui, après un horrible accident de voiture, donné comme perdu, s'est réveillé après un an et demi de coma... Dans un coma, les fonctions cérébrales peuvent être plus ou moins altérées. Pour l'entourage, c'est souvent très difficile. Mais je crois qu'il faut faire attention et ne pas parler d'acharnement thérapeutique quand il ne s'agit que de notre propre difficulté à voir un être cher dans cet état.

C.L. : *Et les cas où la souffrance n'est pas physique mais morale ? Le cas de Mino par exemple rapporté récemment par* Le Monde. *Cette jeune femme de quarante-quatre ans est infirme moteur cérébral depuis la naissance parce que son cerveau a manqué d'oxygène lors de l'accouchement. Très intelligente mais clouée dans un fauteuil roulant, les membres secoués de mouvements désordonnés et incontrôlables, elle déclare vouloir mourir depuis des années. Malgré ses diplômes, malgré un mariage heureux, elle affirme trop souffrir moralement pour désirer continuer à vivre et réclame pour sa mère ce que Diane Pretty réclamait pour son mari : l'immunité si elle l'aide à se suicider.*

A.L. : Puis-je, professeur Bernard, en même temps vous poser une question personnelle et directe ? Supposons que vous ayez eu un grave accident automobile à l'âge de quarante-cinq ans et que vous vous soyez retrouvé tétraplégique, sans aucun espoir de ne plus jamais pouvoir utiliser vos membres. Vous auriez été complètement dépendant. Il aurait fallu vous assister pour tout, pour les fonctions les plus élémentaires de la vie quotidienne. Dans un cas comme cela est-ce que vous pensez que vous auriez aimé continuer à vivre ?

J.B. : Ça dépend : qu'en aurait-il été de mes facultés intellectuelles ?

A.L. : Mettons que vous ayez gardé toute votre tête...

J.B. : C'est une question très difficile. Il est d'abord difficile de se projeter avec honnêteté dans cette situation. Évidemment on peut imaginer qu'après une série d'entretiens entre un malade au cerveau intact et son médecin, on puisse décider d'arrêter le traitement qui le maintient en vie. Mais souvent dans ces conditions, le malade ne suit pas un traitement vital. Il ne suffit donc pas d'arrêter de le soigner pour entraîner la mort... Heureusement que les cas de ce genre ne sont pas fréquents !

C.L. : *À votre tour, professeur Langaney, si vous étiez tétraplégique, que feriez-vous ?*

A.L. : Moi je suis un résilient. Pendant une partie de ma vie, j'ai cru que je ne remarcherais plus jamais. À la suite d'une grave maladie, à dix-sept ans j'étais censé passer le reste de ma vie dans un fauteuil roulant. Donc à cet âge-là je me suis posé la question très explicitement : vivre dans ces conditions-là valait-il la peine ou valait-il mieux en finir ? J'ai hésité pendant des mois sur ce sujet pour finalement réagir par ce que Boris Cyrulnik appelle la résilience : je me suis imaginé ce que serait ma vie dans un fauteuil roulant et j'ai trouvé que, même dans un fauteuil roulant, ma vie valait la peine d'être vécue. Puis j'ai eu de la chance, j'ai guéri. Mais si par contre, j'avais été atteint au même âge d'une maladie dégénérative du cerveau, très douloureuse et irrémédiable, je suis sûr que ma conclusion aurait été inverse et que le matériel que j'avais préparé pour me suicider, je l'aurais utilisé au lieu de le ranger comme je l'ai fait... Et si je m'étais subitement retrouvé paralysé, je pense que j'aurais réclamé la mort. J'y reviens : on pourrait faire une loi qui autorise des exceptions. Car si une personne, pendant plusieurs années de suite, avec une constance totale, réclame la mort qu'elle n'est pas en état de se donner, je considère totalement inhumain de la lui refuser.

J.B. : Je persiste à penser qu'il serait très dangereux de faire une loi. Car un jour ou l'autre quelqu'un s'en servirait pour des motifs peu louables... Il faut admettre que parfois il n'y a pas de solution...

Le scandale des OGM n'est pas celui qu'on croit

« Le génie génétique n'est pas bon ou mauvais dans l'absolu... ce sont ses applications qui sont bonnes ou mauvaises. »

C.L. : *Il y a quelques mois une dépêche est tombée dans les journaux : « Le président du Zimbabwe, Robert Mugabe, refuse l'entrée dans son pays de milliers de tonnes de maïs livrées par les États-Unis alors que six millions de ses concitoyens sont frappés par la famine. » Motif officiel : il s'agit de maïs transgénique. Nous pourrions bien sûr gloser sur la personnalité de Robert Mugabe et sur les raisons occultes qui ont pu le pousser à refuser cette aide alimentaire. Mais il faut remarquer que d'autres pays, le Mozambique et la Zambie, ont très longuement hésité avant finalement de laisser entrer sur leur territoire des aliments contenant des OGM offerts par les Américains. Je trouve cette histoire exemplaire parce qu'elle soulève toujours l'indignation, mais pas pour les mêmes motifs. Les pro-OGM se scandalisent qu'on prive de nourriture des populations affamées alors que le dit maïs transgénique est en vente libre depuis des années aux États-Unis, sans qu'on ait jamais pu déceler – en tous cas pas encore – de problèmes de santé. De plus, ils estiment que le risque de contamination de la flore autochtone par le « transgène » est quasi nul puisque l'essentiel de l'aide alimentaire est livré sous forme de farine et non de grains. Les anti-OGM s'effraient que l'oncle Sam essaie de convertir au transgénique des populations affaiblies alors que l'on manque de recul sur les effets potentiellement nocifs des aliments génétiquement modifiés. Et ils trouvent particulièrement ignoble que l'on « empoisonne » des gens qui n'ont rien d'autre à manger alors que les Occidentaux ont toujours le choix grâce aux multiples produits garantis sans OGM mis en avant sur les rayons des supermarchés. Dans quel camp vous situeriez-vous ?*

A.L. : Je suis très étonné des paniques totalement irrationnelles que des représentations sociales et médiatiques aberrantes de la génétique et des OGM provoquent. D'abord on oublie trop souvent que l'homme bricole les gènes depuis des temps immémoriaux ! Les manipulations génétiques ont en effet commencé au paléolithique, quand les premiers chasseurs-cueilleurs distribuaient les restes de leurs repas aux loups. Ce rapprochement s'est révélé avantageux pour les hommes comme pour les loups, les deux espèces trouvant en l'autre de bons compagnons de chasse. Les loups ont protégé les hommes des agressions extérieures. Les hommes ont assuré aux loups un couvert plus régulier. S'est institué ce que l'on appelle un commensalisme dans le jargon des éthologues : une cohabitation au bénéfice réciproque de l'un et de l'autre. Petit à petit cette cohabitation est devenue domestication : nos ancêtres ont modifié les loups pour en faire des chiens qu'ils ont spécialisés dans diverses activités de chasse, de gardiennage puis de compagnie. Et cela a donné naissance à de multiples races, du chihuahua au doberman en passant par l'épagneul breton. Progressivement les hommes ont aussi domestiqué d'autres espèces pour leur lait, pour leur viande, pour leur cuir... Chez tous ces animaux domestiques, très lentement, des caractères modifiés sont devenus apparents : les chiens ont la face plus courte que les loups, tout comme le cochon a la face plus courte que le sanglier, la poule pond toute l'année contrairement aux volatiles sauvages, etc. Pour être empiriques, ces transformations génétiques n'en sont pas moins spectaculaires : regardez un chihuahua aujourd'hui, vous aurez du mal à imaginer que son aïeul a dévoré un petit chaperon rouge !

Parallèlement les hommes ont modifié les plantes : on pense que le taro et l'igname sont cultivés en Nouvelle-Guinée depuis peut-être quinze mille ans ! Bien avant que Mendel dans son couvent croise ses petits pois pour découvrir les lois de la génétique ! L'orge, le seigle, le maïs, la pomme de terre de nos champs sont très différents de leurs ancêtres sauvages. Le blé que vous mangez tous les jours sous forme de baguette est un trihybride, le résultat du croisement de trois espèces différentes, ce qui n'existe pas dans la nature.

C.L. : *Mais alors quelle est la différence entre une espèce améliorée empiriquement par un agriculteur et un OGM ?*

A.L. : Lors de la domestication classique on modifie à partir de ce qui existe dans l'espèce : on croise systématiquement les plus petits individus pour obtenir les races naines par exemple. Dans un OGM, on introduit dans une espèce un gène qui, bien souvent, vient d'une autre espèce complètement différente. Ou alors un gène que l'on aura pris dans cette espèce, mais que l'on aura modifié artificiellement. Rien de complètement nouveau dans cela : croiser un âne et une jument pour obtenir une mule consiste à mélanger des gènes d'espèces différentes à grande échelle. Modifier un gène ressemble fort à une mutation qui se produit naturellement, au hasard. Et s'il n'y avait pas eu de modifications, de mutations depuis trois milliards d'années, nous ne serions pas là ! Nous devons notre existence à une sorte de génie génétique naturel qui, à chaque génération et dans toutes les espèces, crée des gènes mutants, nouveaux, qui sont essayés, adoptés ou rejetés... par la sélection naturelle. La grande différence, tout de même, est qu'au lieu de travailler à l'aveugle l'homme peut contrôler ces modifications aujourd'hui, avec une redoutable efficacité. Il peut même tenter des bricolages inédits : par exemple introduire des gènes végétaux dans des animaux ou l'inverse, alors que l'on ne peut pas, dans la nature, croiser un chien et un platane... Les possibilités du génie génétique sont une extension presque sans limites de ce que l'on faisait déjà en hybridant des espèces.

C.L. : *C'est le « sans limites » qui pose problème évidemment. Diriez-vous qu'il y a de bons et de mauvais OGM ?*

A.L. : Je dirais que les gènes n'ont pas de morale, pas plus que l'argent n'a d'odeur. Le génie génétique n'est pas bon ou mauvais dans l'absolu... ce sont ses applications qui sont bonnes ou mauvaises. Introduire le gène de la vitamine A dans un riz destiné à des populations très carencées me semble une bonne idée. Cela concerne tout de même quatre cents millions d'individus aujourd'hui, dont 20 % au moins sont menacés de cécité. Soigner par thérapie génique des bébés-bulles, comme l'a fait le Pr Alain Fisher à Paris est tout simplement formidable ! Malgré quelques échecs, il a rendu à une vie normale des enfants condamnés initialement à passer leur vie dans une chambre stérile à cause d'un grave déficit immunitaire d'origine génétique.

Mais bien sûr quand des multinationales irresponsables disséminent par négligence, pour faire des économies sordides, des gènes de résistance aux antibiotiques ou aux herbicides dans la nature, leur action est totalement condamnable car les antibiotiques ou les herbicides en question risquent de perdre leur efficacité pour la santé ou l'agriculture. Mais ces aberrations ne sont pas le propre des OGM puisque des problèmes identiques surviennent dans le cas d'antiseptiques chirurgicaux : certains bactéricides ont perdu leur efficacité contre les bactéries depuis que des industriels imbéciles en mettent systématiquement et inutilement dans les cosmétiques, ce qui a produit des souches de bactéries résistantes. Des patients sont morts de septicémie après avoir été opérés avec des instruments chirurgicaux que ces antiseptiques n'arrivaient plus à stériliser. Dans ce dernier cas, il n'y a pas d'OGM, mais il y a la même utilisation du secret industriel pour couvrir des pratiques dangereuses et antisociales pour des profits dérisoires, sans commune mesure avec les risques pris pour la population générale. Il n'y a donc pas un danger spécifique des OGM mais un danger lié à l'absence de contrôle technique de leur production et de leur utilisation par le monde de l'argent.

Il faut vraiment être obscurantiste pour se battre sans discernement contre tout type de manipulation génétique qui créerait des situations qui n'existent pas dans la nature au nom d'une prétendue sacralité du génome. Je le répète, dans

le vivant, le génome est tout sauf stable : de génération en génération il se casse, se recolle. Sans
cesse interviennent des mutations qui doublent un
petit bout d'ADN ou en suppriment un autre.
Sans oublier les virus qui introduisent leur propre
matériel génétique dans celui de leur hôte... C'est
le propre de l'histoire de la vie et de l'évolution
des espèces. Il ne s'agit pas de jouer à l'apprenti
sorcier et de faire n'importe quoi, mais je ne vois
aucune raison de s'interdire définitivement de
toucher aux génomes, y compris au génome
humain. Si demain on pouvait bricoler les gènes
d'un myopathe par exemple, si on pouvait lui
greffer un gène que tout le monde a, mais que lui
n'a pas, et le sortir de son fauteuil roulant, je ne
vois vraiment pas au nom de quel fascisme écolo-
giste on ne le ferait pas.

J.B. : Attendez ! Vous allez trop vite : si le
gène en question, en même temps qu'il met
debout l'enfant myopathe, détruit le fonctionnement de son cerveau ou le rend idiot... que faudrait-il faire ?

A.L. : Professeur Bernard, là vous exagérez !
Vous savez très bien que dans le cas des gènes
impliqués dans la myopathie il n'y a pas d'effet
dit « pléiotropique », pour parler technique, qui
produise en même temps une attaque du cerveau... sinon, seuls les myopathes auraient un
cerveau fonctionnel ! Mais vous avez raison
d'évoquer le cas des nombreux gènes « pléiotro-

pes », c'est-à-dire qui agissent à la fois sur des caractères ou des organes différents : on sait par exemple que les gènes qui construisent les doigts de la main ont une action sur le pénis et sur le cerveau... Bricoler ces gènes-là chez un embryon, pour lui éviter par exemple d'avoir un doigt en plus ou un doigt en moins, risquerait effectivement de détraquer le fonctionnement de son cerveau. Ce serait fort embêtant, je vous l'accorde.

J.B. : Vous allez donc dans mon sens. En fait, probablement très souvent les gènes, tel Janus, ont deux faces : une bonne et une mauvaise. Pensez au gène de la drépanocytose. Il s'agit d'une grave maladie de l'hémoglobine caractérisée par la forme des globules rouges : au lieu d'être ronds, ils ont la forme d'une petite faux, d'où le terme drépanocytose qui veut dire faucille en grec. Cette maladie très douloureuse est très fréquente dans certaines populations noires. La situation est complexe car si le gène a été hérité des deux parents, la maladie est extrêmement grave. Mais si le gène n'a été transmis que par un seul parent, les symptômes sont minimes et surtout les individus sont protégés du paludisme. Comme le paludisme reste la deuxième cause de mortalité encore aujourd'hui dans le monde, je ne suis pas certain qu'il faudrait se débarrasser sans réfléchir de ce gène.

A.L. : Dans un cas de figure comme celui-là on peut imaginer plusieurs scenari : ou l'on ne soigne, par thérapie génétique, que les malades gravement atteints par la drépanocytose et on laisse tranquilles les porteurs d'un seul gène parce qu'ils sont très peu handicapés et résistants au paludisme. Ou bien on met le paquet et on éradique enfin le paludisme comme on l'a fait en France. Ou, enfin, on cherche et découvre un bon traitement contre la drépanocytose, pas cher de préférence... Je veux dire par là que la thérapie génique, même dans un futur lointain, ne sera pas la panacée. Selon les maladies, selon les populations concernées, selon les époques... plusieurs stratégies de traitement seront certainement envisageables. Aujourd'hui, de toute façon, il s'agit de science-fiction : on maîtrise si peu la technique, on connaît si peu de choses sur les gènes... qu'on ne peut se permettre d'intervenir que dans des cas exceptionnels.

À ce jour, les résultats de la thérapie génique ou des thérapies cellulaires sont encore le plus souvent très décevants, discutés et en cours d'évaluation préliminaire. Nous sommes loin des applications de routine que la simple logique des méthodes proposées laisse espérer à un terme encore à préciser. Mais il s'agit là d'une situation très banale en médecine comme dans toutes les sciences et techniques où la découverte de principes et de méthodes, dont la théorie est lumineuse, ne préjuge en rien des délais parfois très longs de mise au point pratique d'applications efficaces. Sur la route de celles-ci de multiples obstacles imprévisibles, parfois incontournables, peuvent empêcher tout résultat concret avant parfois des décennies. On ne peut donc pas espérer raisonnablement de miracles instantanés simplement parce qu'il s'agirait de thérapies génétiques nouvelles.

J.B. : La recherche exige du temps. Lorsque j'ai décidé de consacrer tous mes efforts aux leucémies de l'enfant, en 1946, tous les enfants leucémiques mouraient. Pour la plupart en moins de deux mois, épuisés par l'anémie, accablés par les hémorragies et les violentes douleurs osseuses. Dans les années qui ont suivi, nous avons parfois obtenu des rémissions d'abord brèves puis longues. Mais inéluctablement les petits malades faisaient une rechute à l'issue fatale. Ce fut une période très rude. Nous prolongions la vie des enfants sans jamais les guérir. Pendant toutes ces années, nous avons connu des malheurs, de faux espoirs, de grandes tristesses. Enfin est survenue la première guérison – non pas grâce à l'arrivée d'un nouveau médicament, mais grâce à une meilleure organisation du traitement ! Et au milieu des années 80 nous sauvions deux tiers environ des enfants leucémiques. Mais vous voyez : il a fallu près de quarante ans pour passer de 0 % à 70 % de guérison.

C.L. : *Vous n'êtes pas rassurant : car pour les chercheurs, si la circonspection est de rigueur dès qu'il s'agit d'êtres humains, elle semble moins de mise lorsqu'il s'agit de bricoler les gènes des plantes et des animaux. Sans être obs-*

curantiste, est-il sage d'autoriser toutes les expériences. Quid du principe de précaution ?

A.L. : Je trouve que le principe de précaution a bon dos parce que cela fait des millions d'années que les humains ou pré-humains survivent sur la Terre et cela fait des millions d'années qu'ils mènent une vie très risquée. Le risque zéro n'existe pas et n'existera jamais. La seule façon de ne pas prendre de risque, est de ne strictement rien faire, autant dire mourir tout de suite ! Tout l'art est d'évaluer au mieux les risques que nous prenons et ceux que nous ne voulons pas prendre. En matière d'OGM, ce qui est dangereux n'est pas le principe de la recombinaison génétique mais le choix des applications. Pourquoi y a-t-il eu autant de polémiques ? Parce qu'on ne devrait modifier les gènes que dans l'intérêt des humains, de tous les humains, c'est-à-dire essentiellement dans l'intérêt des consommateurs pour les plantes et les animaux. Or, à l'heure actuelle, ces modifications profitent surtout aux semenciers et aux financiers. Pour des raisons techniques et économiques de production et de profit immédiat, des firmes agro-alimentaires ont ainsi introduit dans certains maïs des gènes de résistance à des antibiotiques qui n'ont aucun intérêt pour les agriculteurs, ni les consommateurs... Avec le risque de voir se disséminer ces gènes dans la nature et qu'ils provoquent l'apparition de souches de bactéries pathogènes dangereuses que l'on ne pourrait plus traiter par ces antibiotiques. Ce que personnellement je trouve irresponsable ! Mais le plus insensé dans cette affaire est que, lorsque les gouvernements ont autorisé la mise sur le marché de ces maïs, ils ne connaissaient pas la technique employée, au nom du secret industriel. Il n'est pas acceptable que des produits soient mis sur le marché sans que l'on sache de quoi il retourne. Tant pis si la sécurité alimentaire va à l'encontre du secret industriel ! Mais dans les instances de décisions doivent siéger des experts capables de juger. Car malheureusement dans ces domaines complexes l'idéal démocratique qui voudrait que tout le monde soit à même de décider de tout est illusoire.

J.B. : N'oubliez pas que la confrontation avec les « profanes » est très importante. Au Comité national d'éthique l'échange de point de vue entre les médecins et les non médecins a toujours été très fructueux. Le génie génétique ouvre certainement de formidables perspectives pour l'espèce humaine. Notamment celle de s'attaquer aux maladies héréditaires graves, ce qui est moralement acceptable. Mais un jour viendra où nous serons tentés de manipuler également les gènes de susceptibilité, ces gènes qui prédisposent à une maladie, comme le diabète par exemple, dans des circonstances particulières. Et dans ce cas aura-t-on le droit de modifier l'homme ? La génétique sera le problème majeur de nos successeurs comme les maladies infectieuses ont été celui de ma génération.

La santé n'a pas de prix
mais elle a un coût

« La priorité est de réformer un système de santé qui au niveau mondial est épouvantablement injuste, épouvantablement et scandaleusement mal organisé. »

C.L. : *Il suffit de se balader sur Internet pour s'apercevoir rapidement que tout homme, toute femme, ayant des problèmes de stérilité mais munis d'une bonne carte bancaire peut très aisément faire « ses courses » sur la toile. Sperme, ovules, embryons congelés, mères porteuses... tout est à vendre sur certains sites, américains pour la plupart. Les prix vont de quelques milliers de dollars pour du sperme « d'hommes au QI supérieur » ou des ovules de top models très déshabillées... à quatre-vingt mille dollars voire plus, et sans les faux frais, pour une mère porteuse ! Les moins chers étant peut-être les embryons congelés car les entremetteurs, dans ce cas, sont souvent des chrétiens soucieux de trouver des « parents adoptifs » à des embryons surnuméraires menacés de la congélation éternelle.*

Cela coûte cher mais les délais d'attente n'ont rien à voir avec ceux pratiqués en France où la loi impose le don anonyme et gratuit et interdit toute transaction financière.

J.B. : Et heureusement ! Je serai extrêmement ferme sur cette question : le corps humain ne peut être vendu ni en totalité ni en détail. Le don est la seule solution morale acceptable. Le principe de gratuité ne souffre aucune exception sauf peut-être le lait maternel : il est de tradition ancestrale de payer pour les soins d'une nourrice. Ni le sperme, ni les ovules, ni le sang, ni les reins, ni la moelle osseuse... aucune partie du corps humain ne peut donner lieu à commerce. Cela ne veut pas dire qu'il n'y a pas de frais engagés : pour les analyses, les examens, le conditionnement, le traitement, etc. mais tout profit doit être banni. Au long des millénaires le profit a été tantôt loué, tantôt critiqué. Il est aujourd'hui révéré. Mais il est profondément amoral qu'il tente de s'approprier le corps humain. La France a l'honneur d'avoir été, après la Seconde Guerre mondiale, le premier pays à refuser la vente du sang et à en organiser le don. Cette éthique a été ensuite étendue aux organes et aux autres tissus ou cellules qui sont donnés et non vendus. Cette organisation fondée sur la gratuité, la générosité, la solidarité a fonctionné de façon satisfaisante jusqu'à présent. Il est très important de la conserver, de la défendre face aux appétits de toutes sortes.

A.L. : Je suis tout à fait d'accord avec vous.

L'exemple français montre que l'on peut interdire toute transaction commerciale sur les produits biologiques humains et que cela marche très bien dans l'ensemble.

Mais autant il est hors de question de revenir sur la gratuité du don, autant je serais plus réservé sur la gratuité de l'assistance médicale à la procréation. J'entends par là qu'il existe plusieurs attitudes possibles : soit adopter l'attitude néo-libérale nord-américaine qui dit que toute personne a accès à n'importe quelle technique de l'AMP à partir du moment où elle peut payer. Soit conserver l'attitude théorique française qui consiste à dire que tous les citoyens doivent avoir un égal accès aux soins, quels qu'ils soient. Cela est moralement parfait mais parfois irréaliste sur le terrain. Personnellement je trouve qu'il faudrait faire une distinction entre ce qui est de l'ordre de la nécessité médicale et la demande des gens qui voudraient faire des fantaisies en matière de procréatique. Là d'ailleurs se pose un double problème : d'une part la société autorise-t-elle ce genre de pratique ? Pas toujours : on sait bien que les mères porteuses, par exemple, sont interdites chez nous. D'autre part la Sécurité sociale, qui est vouée à payer les soins procurés aux malades, doit-elle payer pour l'AMP ? Oui, si on reste dans le strict domaine du traitement de la stérilité, une opération pour déboucher les trompes par exemple. Certainement pas s'il s'agit d'offrir des FIV à des couples qui n'ont pas d'enfant parce qu'ils n'ont pas de relations sexuelles ! Ou à des

couples qui préféreraient, pour convenances personnelles, avoir une fille plutôt qu'un garçon. Il
ne faut jamais oublier que le droit à la vie en
bonne santé n'est pas le droit à avoir des enfants
biologiques et encore moins à faire des enfants
parfaits qui ressemblent à ce qu'on voudrait
qu'ils soient.

C.L. : *Puisque vous parlez de la Sécurité
sociale, allons-nous finir par tomber dans le
« trou » ? Après quelques années d'accalmie, ce
fameux trou est revenu à la une de l'actualité
affichant trois milliards d'euros de dettes, quatre
milliards prévus en 2003. La grande fautive est
bien sûr la branche maladie. Il y a de quoi s'inquiéter, surtout lorsqu'on entend sans cesse parler du mécontentement des généralistes, de la
crise de l'hôpital, du ras-le-bol des urgentistes,
des cris d'alarme poussés par les pédiatres, les
gynécologues et autres anesthésistes : personnel
débordé, pas assez rétribué, moyens mal répartis,
spécialités pénibles désertées... On nous prédit la
faillite imminente de notre système de santé. La
médecine française, la « meilleure du monde »,
est-elle vraiment en danger ?*

J.B. : Ne nous voilons pas la face : les progrès de la médecine posent de graves problèmes
financiers. La médecine du passé était inefficace
mais ne coûtait pas grand-chose. Les thérapeutiques étaient surtout soustractives – saignées,

purgations, clystères – et donc gratuites. Les médicaments étaient le plus souvent végétaux, absorbés sous forme de tisanes, d'infusions, de décoctions peu dispendieuses. À l'hôpital le personnel infirmier était religieux et bénévole... Dans le privé les honoraires de certains médecins pouvaient être assez élevés mais cela n'obérait pas les finances publiques car, je vous le rappelle, les assurances sociales n'existaient pas. Les premières mesures légales, bien incomplètes, n'ont été prises qu'en 1933. Et la Sécurité sociale proprement dite date de 1945, juste après la Libération. Après des siècles d'impuissance plutôt bon marché, soudain, en quelques années, la médecine est devenue efficace et très chère ! Cela a commencé avec certaines interventions chirurgicales onéreuses mais exceptionnelles. Et cela a surtout pris de l'ampleur avec l'arrivée des antibiotiques comme la streptomycine, le traitement de la tuberculose. Mais au départ le prix des médicaments ne préoccupait en aucune manière les médecins. Je me souviens qu'un jour nous nous félicitions, le Pr Robert Debré et moi-même, de la guérison de Catherine dont je vous ai déjà raconté l'histoire, la première enfant sauvée d'une méningite tuberculeuse. Nous étions tout à notre bonheur lorsque est arrivé un personnage important et importun : l'économe de l'hôpital. « Savez-vous le prix du traitement de la petite Catherine ? » nous a-t-il demandé en brandissant les additions faites par ses services et la somme très élevée résultant de ces additions.

Nous l'avons renvoyé dans ses bureaux presque sans l'écouter. Comment pouvait-on mettre en balance la vie d'un enfant et une somme même importante d'argent ? Je n'ai pas changé d'avis sur le fond : la santé d'un enfant, de toute personne, n'a pas de prix. Mais elle a un coût et il serait aujourd'hui irresponsable de ne pas en tenir compte.

C.L. : *Mais le prix des médicaments seul n'explique pas la flambée de nos dépenses de santé ?*

J.B. : Non bien sûr et nous reviendrons plus tard sur la question de l'industrie pharmaceutique. Ce qui grève aussi énormément le budget, ce sont les examens : examens biologiques, bactériologiques, biochimiques, génétiques, radiographie, scanner, IRM, électroencéphalographies, etc. Toutes ces analyses, ces imageries sont extrêmement précieuses voire indispensables pour établir un bon diagnostic. Mais il faut savoir que ces machines, ces appareils coûtent cher, qu'il faut du personnel qualifié pour s'en servir et pour les entretenir. Tout comme l'organisation des méthodes thérapeutiques à l'hôpital exige un important personnel qualifié : dans les services de réanimation, de néonatalogie et ailleurs il faut des médecins, des infirmières, des aides soignantes 24 heures sur 24. Il est très, très loin le temps où le brave médecin d'antan faisait une visite pater-

nelle, suivi par une seule religieuse infirmière !
La greffe de moelle par exemple, qui permet de
sauver beaucoup de leucémiques, est une opération apparemment fort simple. La moelle prélevée
dans l'os iliaque du donneur, pendant une courte
anesthésie générale, est injectée dans une veine
du bras du receveur et, traversant de nombreux
tissus et organes, va retrouver toute seule sa place
à l'intérieur des os. Ce n'est pas compliqué, je
vous l'ai dit. Eh bien cela coûte tout de même
cent mille euros ! Examens, médicaments, matériel, personnel, chambre stérile, etc., l'addition
grimpe très vite. Mais aujourd'hui, grâce notamment à ces greffes, on guérit 75 % des leucémies
de l'enfant. Il n'y a pas quarante ans on n'en sau-
vait aucun.

A.L. : Il est clair que notre société ne peut
occulter le raisonnement économique dans le
domaine de la santé. On ne peut se réfugier derrière l'objectif louable de soigner tout le monde
pour refuser de réfléchir aux problèmes financiers
et sociaux que cela pose. Voyez la question
incontournable en son temps soulevée par Alfred
Sauvy qui est celle du rapport coût/bénéfice de la
vie humaine. Sauvy, qui raisonnait en démo-
graphe, montrait que par exemple avec la même
quantité d'argent on pouvait soit greffer un cœur
à un grand cardiaque qui allait ainsi gagner cinq
ans de vie soit vacciner des dizaines de milliers
d'enfants dans le tiers-monde contre la rougeole
et ainsi en sauver la plupart... Le dilemme est

cruel certes mais il y a des coûts, il y a des bénéfices en terme de nombre d'années à vivre, de nombre de personnes sauvées, etc. Et la véritable politique consiste à choisir quel prix on va payer pour quel bénéfice. C'est vrai aussi au niveau du malade lui-même : quel traitement pour quelle qualité de vie pour combien de temps ?

J.B. : Bien sûr. Mais dans la pratique, le médecin est toujours face à des cas singuliers et pour lui il est inacceptable qu'un malade manque de soins pour des raisons financières. Cela me rappelle qu'il y a quelques années un éminent professeur de médecine exerçant dans une ville de province m'a appelé au secours : un de ses malades, un petit garçon leucémique de six ans, ne pouvait être sauvé que par une greffe de moelle osseuse. Heureusement le frère de l'enfant était compatible et la greffe était programmée pour le 10 décembre pendant la très courte période de rémission obtenue. Malheureusement le directeur de l'hôpital avait annoncé à mon confrère que, les finances de l'hôpital étant à sec, l'opération ne pourrait se faire qu'en janvier, au début de la nouvelle année budgétaire. Mais janvier, c'eût été trop tard pour le petit malade. Nous sommes allés mon confrère et moi-même plaider la cause de l'enfant auprès du maire qui a dégagé une subvention exceptionnelle. L'histoire se termine bien : le jeune garçon a été greffé et guéri. Mais on ne peut pas toujours fonctionner comme cela. En fait, je crois que face à l'accroissement du budget de la santé, les citoyens devraient se prononcer par leur vote, choisir leurs priorités. Je me souviens d'un entretien que m'accorda vers 1980 le président de la République d'un pays en voie de développement. Cet homme d'État se disait peu concerné par les problèmes de santé publique. La natalité étant très forte dans cette région, expliquait-il, le nombre de citoyens actifs resterait suffisant. Son choix était clair : priorité était donnée à l'agriculture et à l'enseignement. Seule une petite partie du budget de l'État était consacrée à la santé. Les Français devraient faire de même : assumer leurs responsabilités et classer leurs priorités. Préfèrent-ils la santé aux autoroutes ou à telles infrastructures industrielles ? Voilà une question importante !

A.L. : Avec les ravages que cause l'épidémie de sida aujourd'hui, peut-être votre homme d'État africain a-t-il changé d'avis car il est possible que la population active de son pays soit décimée par le virus... J'en profite pour souligner que sauver un enfant leucémique, faire des FIV à répétition, autoriser ou non le clonage... ce sont des problèmes de riches ! Car il ne faut pas oublier que l'accès à la santé est la chose la moins bien partagée du monde. Certains pays consacrent moins de quatre dollars par personne et par an à la santé. Chaque année douze millions d'enfants meurent avant d'avoir cinq ans. Dont 70 % sont tués par la diarrhée, le paludisme, les infections respiratoires, la rougeole ou la malnutrition. Le prix pour les sauver serait souvent dérisoire : il faut un quart de dollar pour soigner une pneumonie ! Le paludisme fait deux millions de victimes par an, la tuberculose, deux millions sept ! Cette discordance Nord / Sud est le scandale de notre temps.

J.B. : Je suis tout à fait d'accord avec vous. L'égoïsme des pays du Nord est inacceptable. L'Afrique surtout n'a pas l'argent pour acheter les médicaments curateurs. Je ne suis pas compétent en économie mais mes amis qui le sont me disent que si les pays nantis faisaient un petit effort financier, en diminuant de 3 % le budget militaire par exemple, ils guériraient les malades d'Afrique. J'ajouterai que les sommes consacrées à nos propres dépenses de santé sont d'un très petit pourcentage par rapport aux dépenses militaires... Et que l'argent consacré à la recherche, c'est une opinion personnelle, n'est pas à la hauteur de ce que l'on peut attendre des progrès de la médecine.

A.L. : Ce ne sont pas des sommes négligeables quand même... Mais on peut s'interroger sur la gestion de cet argent dont la santé publique semble rarement la priorité, en particulier des moyens consacrés à la recherche de médicaments dans un souci de profits privés plutôt que de bien-être public. Et il faudrait certainement remettre à plat le rôle de l'industrie pharmaceutique dans cette recherche et son application.

C.L. : *Cela nous amène à soulever l'épineuse question de la « brevetabilité » du vivant. Pour exemple, l'institut Curie, l'institut Gustave-Roussy, l'Assistance publique et d'autres organismes se sont élevés avec vigueur contre la société américaine Myriad Genetics. En résumé, cette société détient des brevets pour deux gènes de susceptibilité aux cancers du sein BRCA1 et BRCA2 qui lui assurent le monopole sur les tests de diagnostic. Les Français s'insurgent pour plusieurs raisons. D'abord parce que la fiabilité des tests laisserait à désirer : ils laisseraient passer 10 à 20 % des mutations et on peut imaginer les conséquences épouvantables, pour les patientes, d'un diagnostic erroné. Ensuite à cause de leur coût prohibitif : 2 750 euros soit trois fois et demie le prix des tests que l'on pourrait effectuer dans nos laboratoires. Enfin parce que la constitution de ce monopole briderait la recherche en empêchant notamment les laboratoires publics d'avoir accès aux données nécessaires à la poursuite de leurs travaux sur les gènes de prédisposition. Enfourcheriez-vous ce cheval de bataille ?*

J.B. : Je ferais deux remarques. Premièrement le CCNE s'était prononcé en son temps contre la « brevetabilité » des gènes et je maintiens cette position : un gène est un morceau d'une molécule naturelle qui n'a pas à être breveté. Pas plus que l'invention de la colonne vertébrale ou de la chlorophylle. Cela irait à l'encontre des valeurs prônées par l'Unesco qui a qualifié le génome humain de « patrimoine de l'humanité ». Deuxièmement : l'industrie pharmaceutique dépose des brevets depuis des lustres. Il y a alors deux cas de figure : soit cela procure un profit personnel pour le découvreur, soit la prise du brevet permet d'améliorer la recherche. Je ne vois évidemment pas d'objection morale au deuxième cas. Le premier, en revanche, me semble sujet à caution. La tradition veut que dans les sciences on écarte le profit personnel : Pasteur n'a pas fait fortune...

C.L. : *Oh, mais Louis Pasteur a bien déposé un brevet pour une méthode de fermentation de la bière (en 1865 en France et en 1873 aux États-Unis) incluant une levure purifiée : il s'agit bien là d'un brevet sur le vivant ! D'ailleurs on comprend bien pourquoi les sociétés de biotechnologie et l'industrie pharmaceutique déposent des brevets. Mettre au point des médicaments coûte extrêmement cher : cela exige des années de recherche, un personnel important, des techniques onéreuses, toute une série de contrôles complexes, nécessaires mais dispendieux. Et les industries pharmaceutiques ne sont pas des entreprises caritatives : elles n'investiraient pas autant d'argent si elles n'entendaient en tirer des bénéfices. Or les brevets sont un des moyens de garantir qu'elles pourront retirer les fruits de leur travail. N'est-ce pas légitime ?*

J.B. : Moralement non. Un de mes amis

médecins qui ne comprenait pas mes réticences m'a dit un jour : « Tu acceptes le bénéfice du boulanger et du meunier, pourquoi n'acceptes-tu pas le bénéfice de l'industrie pharmaceutique ? » Eh bien parce que la comparaison avec le meunier et le boulanger n'est pas vraiment acceptable. Dès que l'on est dans le domaine de la santé, on sort du cadre de la libre entreprise. L'homme malade est différent de l'homme sain et je considère que la situation actuelle en matière d'industries pharmaceutiques est contraire à la morale. Pour moi, le profit dans ce domaine n'est pas légitime. Mais je m'empresse d'ajouter que, pour le moment, on ne connaît pas de solution. On a vu à l'œuvre le système capitaliste en Europe, au Japon et aux États-Unis où les entreprises font des bénéfices formidables et indécents. On a connu aussi le système soviétique qui avait instauré une industrie d'État... et cela marchait encore plus mal ! Un sérieux effort de réflexion est à mener pour trouver enfin une bonne alternative.

A.L. : Pour moi, ce problème s'inscrit dans un problème beaucoup plus général : celui de la mondialisation. Aujourd'hui, de nombreuses industries transnationales sont beaucoup plus puissantes que n'importe quel gouvernement, même le gouvernement nord-américain. Que ce soit l'industrie pharmaceutique ou Microsoft, c'est pareil : ce sont des sociétés gérées par des agents économiques qui ne voient que leurs profits et pas du tout l'intérêt de la population. Bien sûr le processus de production des médicaments doit quelque part être protégé, financé et rémunéré, mais pas à n'importe quel coût financier et humain. De toute façon, je crois que le système court à sa perte car si on accepte, comme cela se fait aux États-Unis, des brevets très larges sur une séquence du génome, sur un gène, et sur toute la cascade de produits et d'applications qui en découle : tests diagnostic, médicament, etc., on va paralyser à coup sûr la recherche. Plus personne ne se lancera dans aucune étude, cela coûtera trop cher... Et les pays les plus pauvres seront certainement exclus de la course aux brevets voire n'auront plus accès aux produits de santé !

C.L. : *La solution ne serait-elle pas alors aux mains des ONG ? Elles ont déjà à leur actif quelques succès dont elles peuvent se targuer : grâce à elles l'Afrique du Sud a gagné son procès contre l'industrie américaine et obtenu le droit d'utiliser des médicaments génériques contre le sida, beaucoup moins chers que les antiviraux de marque. C'est encore grâce à elles qu'est à nouveau produit le seul médicament efficace contre la maladie du sommeil, dont la fabrication avait été abandonnée faute de marché solvable...*

A.L. : J'ai beaucoup de respect pour les gens qui s'investissent dans les associations humanitaires et autres organisations non gouvernementales dont certaines font du très bon travail pour pallier l'insuffisance de l'engagement des États. Reste que justement il n'est pas normal que l'on confie à des ONG le soin de réparer les dégâts de l'incompétence ou de l'inefficacité des États. Il ne faut pas se tromper de priorité : on a fondé la Croix-Rouge pour venir en aide aux blessés et aux meurtris des guerres, or il aurait mieux valu chercher des solutions pour éviter les conflits plutôt que de chercher des solutions pour assister les victimes. Assister les victimes est évidemment très louable, mais pour moi secondaire. La priorité est de réformer un système de santé qui au niveau mondial est épouvantablement injuste et scandaleusement mal organisé. Je crois que seule une superstructure comme l'OMS ou l'Unicef pourrait améliorer les choses... si on lui en donnait les moyens financiers et surtout politiques !

J.B. : Cela ne nous dispense pas de faire tous autant que nous sommes un effort. Les médecins pour éviter les prescriptions déraisonnables et dispendieuses telle la prescription simultanée des anciennes et des nouvelles méthodes d'imagerie médicale, radio et scanner par exemple. Les patients pour ne pas exiger des ordonnances longues comme la main. La Sécurité sociale pour trouver les moyens de mieux honorer la qualité intellectuelle de l'intervention du médecin et le temps passé au chevet du malade : un chirurgien qui opère une appendicite aiguë est infiniment mieux rémunéré que le médecin de campagne qui s'est dérangé en pleine nuit pour se rendre auprès de la personne souffrante, faire le diagnostic et parfois amener le patient à l'hôpital ! Ce n'est pas juste et cela entrave probablement les efforts de prévention sur lesquels la société tout entière doit impérativement mettre l'accent. Ainsi on pourra espérer que d'ici quelques années les progrès de la médecine de prévention soient tels que non seulement le malheur des hommes sera diminué mais que le budget santé sera allégé. Nos descendants n'auront alors qu'un gros problème : que faire des gens entre quatre-vingts et cent ans ? Une chose est sûre : il faudra sérieusement amender notre organisation de la retraite...

Vers un nouveau serment d'Hippocrate

« Entre Hippocrate et un médecin parisien de 1840 il n'y avait pas de différence : ils étaient pratiquement aussi ignorants et aussi inefficaces l'un que l'autre. »

C.L. : *Encore une histoire exemplaire : une jeune femme accouche dans une clinique du nord de la France. Mais il y a des complications : la mère fait une grave hémorragie. Elle est alors transférée à l'hôpital de Valenciennes où on lui propose de la transfuser. Témoin de Jéhovah elle refuse : les membres de cette secte croient en effet que la transfusion sanguine est contraire aux préceptes de Dieu. Les médecins essaient alors tous les autres moyens thérapeutiques à leur disposition. Sans succès. Devant l'urgence, ils finissent par transfuser quand même la patiente : « On ne laisse pas mourir une jeune femme de vingt-quatre ans » dira plus tard le chef du service de réanimation. La mère rentre chez elle avec son bébé... et poursuit l'hôpital devant le tribunal administratif en se fondant sur la Loi Kouchner de mars 2002 sur le droit des malades. En pre-*

mière instance, elle gagne ! Un jugement qui a suscité beaucoup d'émoi et qui révèle la complexité croissante des rapports entre médecins et malades.

Depuis deux mille cinq cents ans la générosité, la compassion, le dévouement prônés par le serment d'Hippocrate régissent – théoriquement – ces relations. Aujourd'hui, à l'aube du troisième millénaire, ce serment d'Hippocrate est-il toujours d'actualité ?

J.B. : Oui bien sûr, mais il n'est plus suffisant. Je le répète, entre Hippocrate et un médecin parisien de 1840 il n'y avait pas de différence : ils étaient pratiquement aussi ignorants et aussi inefficaces l'un que l'autre. Après ces vingt-cinq siècles de stagnation sans progrès véritable, il y a eu de 1859 à 1865 quelques années fort fécondes que je ne sais qui a appelées les six glorieuses avec tour à tour Darwin et l'Évolution, Pasteur et les microbes, Claude Bernard et la physiologie, et dans son couvent de Moravie, Mendel et les lois de la génétique... Ces six années ont tout bouleversé. Elles ont permis l'essor de la vaccination, la naissance de la médecine de prévention, la rigueur de la médecine clinique... mais, par un curieux paradoxe, elles n'ont eu aucune influence sur la thérapeutique. Et l'on peut dire que jusqu'en 1930, la compassion a suffi. Elle était l'unique devoir du médecin. Avec les révolutions médicales et biologiques du XXe siècle, la découverte des sulfamides, des antibiotiques, l'essor de la génétique... deux autres devoirs se sont ajoutés. Le devoir de décision : quel traitement donnera au malade les meilleures chances de guérison pour le moins de risques possibles. Et le devoir d'information.

A.L. : Mais ne peut-on pas dire que ce changement est aussi dû à la plus grande identification du médecin au malade ?

J.B. : Oui, bien sûr. Surtout à l'hôpital. La révolution médicale a eu rapidement pour effet secondaire la transformation radicale de la population hospitalière. Quand j'étais jeune carabin, l'hôpital c'étaient de grandes salles de quarante, soixante lits où gisaient uniquement des indigents venus là pour mourir... les riches, eux, mouraient dans leur lit. En fait, il y avait un gouffre social entre les médecins qui appartenaient pour la plupart à une assez bonne bourgeoisie et la masse des démunis qui se retrouvaient à l'hôpital. D'où, je pense, l'indifférence, la condescendance même de certains médecins envers ces misérables. Je me souviens de l'illustre Pr Widal chez lequel j'ai effectué mon stage de première année à l'hôpital Cochin. Une fois par semaine, le mercredi à 11 heures, ce grand mandarin faisait « une présentation de malade ». Deux heures avant, on installait un malheureux sur un brancard au milieu de la salle. Le patron entrait entouré d'une troupe d'assistants et de futurs agrégés, tous d'une extrême politesse à son égard. Il s'asseyait, les adjoints de qualités s'asseyaient aussi. Nous, les étudiants, restions debout pour écouter la leçon du maître qui révélait toute la vie, tous les secrets du pauvre diable. Le pronostic habituellement fatal était exprimé en des termes à peine voilés que toute la salle, malade compris, entendait ! Maintenant cela a complètement changé parce que les plus fortunés fréquentent à leur tour l'hôpital. À Saint-Louis, j'ai soigné des princes et des milliardaires. Pourquoi ? Parce qu'à cause des progrès de la technique, beaucoup d'examens, d'analyses, de traitements ne peuvent se faire qu'à l'hôpital... d'où l'apparition des chambres, seul ou à deux ou trois.

C.L. : *Mais pour revenir à votre nouveau serment d'Hippocrate...*

J.B. : Commençons par le devoir d'information. Autrefois les médecins parlaient entre eux dans un tel jargon que les malades ne les comprenaient pas. C'était tout à fait délibéré, on laissait ainsi le patient dans l'ignorance. Les médecins cachaient leur impuissance, leur insuffisance derrière leur... suffisance et leur langage hermétique. Seule, parfois, la famille était mise au courant quand il y avait des questions d'héritage. Mais là on se heurtait vite à des situations vaudevillesques ou dramatiques. Les auteurs de théâtre en ont fait des pièces, mais incroyable est l'égoïsme des gens. Il faut être médecin pour connaître la noirceur de l'âme humaine.

A.L. : Ce qui a radicalement changé est que les gens ont une plus grande culture générale et n'acceptent plus d'être traités sans comprendre. Les médecins ont admis qu'il fallait amender leur attitude et aujourd'hui, en cas de pathologie grave, le médecin donne souvent le choix au patient entre deux, voire trois, stratégies. Mais cela exige de donner toutes les explications nécessaires...

J.B. : ... qui ne sont pas toujours faciles à comprendre. J'ai parfois dû dire en substance à un malade : « Monsieur, vous avez cinquante ans et vous avez une leucémie chronique. Dans l'état actuel du traitement, vous avez peut-être trois ou quatre ans à vivre mais vous serez sûrement mort dans quatre ans. L'option est la suivante : soit on ne fait rien. Soit vous acceptez une greffe de moelle osseuse. Dans ce cas il y a 20 % de risques que vous mouriez rapidement des suites de l'opération. Mais si la greffe réussit, alors vous avez de bonnes chances de vivre encore bien longtemps. » Conversation cruelle, surtout quand l'homme n'avait pas idée que sa maladie puisse être mortelle...

A.L. : Faire comprendre au malade la notion de probabilités est la plupart du temps extrêmement difficile. D'autant plus, excusez-moi monsieur Bernard, qu'il est souvent déjà très difficile de la faire bien assimiler au médecin qui, dans sa vie professionnelle, ne voit que des cas uniques et décide plus souvent en fonction de son expérience et de son intuition qu'en fonction des évaluations de risques que permettraient les statistiques épidémiologiques sur les cas comparables. Les médecins ont plus souvent une formation de décideurs que de spécialistes de l'aide à la décision et des probabilités.

J.B. : Très certainement. De toute façon, une phrase comme « les chances de guérison sont entre 10 et 60 % », vous ne l'entendez pas de la même oreille selon que vous êtes le médecin ou le malade ! C'est au médecin d'évaluer les capacités et les désirs de son patient. La mode actuelle est de dire la vérité, toute la vérité Je ne pense pas que l'on doive mentir au malade mais nombre de mes patients m'ont dit : « Mais enfin, docteur, pourquoi vous m'avez dit tout ça ? J'étais si tranquille auparavant ! »

C.L. : *La mode et parfois la loi. Pour les tests génétiques par exemple, elle stipule que les laboratoires doivent recueillir le « consentement éclairé » du patient...*

A.L. : Attention ! On arrive là à des situations parfois absurdes. Imaginez que Monsieur X aille voir son médecin et lui dise : « Ça ne va pas fort, docteur : je suis à la fois déprimé et excité. Ma femme et mes enfants me trouvent proprement invivable. » Et le médecin, grand spécialiste, à l'intuition infaillible, de lui répondre : « Pour moi, voilà fort bien décrits les symptômes de la chorée de Huntington. Si c'est cela, ça ira de mal en pis. Vous finirez dément, enfermé pendant des années dans une institution. Mais si ça se trouve, ce n'est pas ça du tout. Pour nous en assurer nous allons faire un test génétique. » Eh bien si le pauvre Monsieur X ne se jette pas par la fenêtre avant l'annonce des résultats, on aura de la chance... Plus sérieusement, je veux dire qu'on n'a pas toujours le droit de parler du pire tant qu'on n'en est pas sûr...

J.B. : Tout à fait d'accord. Les êtres humains ne savent pas qu'ils sont mortels... Beaucoup n'ont même jamais pensé qu'ils doivent mourir... Je crois d'ailleurs qu'il ne faut jamais fermer complètement la porte à l'espoir. On voit des malades condamnés par la médecine... qui finalement survivent parce que soudain on découvre un nouveau traitement.

A.L. : Alors seriez-vous d'accord avec la proposition suivante : tant que les choix vont de soi, semblent évidents en toute conscience professionnelle au médecin, il peut donner des informations limitées en vue du confort psychologique du malade. Mais dès qu'il y a un enjeu de choix réel, il y a un devoir d'information du patient, ou si le patient n'est pas en état de la supporter, de quelqu'un de sa famille.

J.B. : Encore une fois il n'y a pas de règle

générale, il n'y a que des cas particuliers. Je me suis occupé de l'un des plus grands écrivains français qui, sur la fin de sa vie, commençait à avoir des troubles de l'esprit. Je pouvais le soigner. Avec un médicament qui allait limiter très sérieusement son pouvoir de création. Nous en avons longuement discuté tous les deux. Et finalement cet homme de plume a décidé de ne pas se soumettre au traitement. Il préférait écrire durant le peu de temps qui lui restait plutôt que de gagner deux ou trois ans de vie à rester devant une page blanche. J'ai, bien sûr, respecté son choix. Mais prenons un autre exemple caricatural : un enfant arrive aux urgences avec une appendicite aiguë. Les parents hésitent à accepter l'opération qui est la seule et unique chance de survie du petit malade. Là le médecin n'a qu'un seul devoir : bousculer gentiment les parents et obtenir leur accord pour l'intervention.

A.L. : J'irai même plus loin : si les parents sont potentiellement condamnables pour refus d'assistance à personne en danger, en l'occurrence leur enfant, ce qui devrait être une circonstance aggravante, le médecin l'est aussi et c'est lui qui devrait avoir le dernier mot. Mais on voit bien avec l'histoire de Valenciennes que cela sera très difficile à appliquer.

C.L. : *On en revient au devoir de décision.*

J.B. : Tout à fait et là le médecin doit éviter

deux écueils : la rigidité et la lâcheté. La rigidité : il ne doit pas se croire infaillible. La lâcheté : il ne doit pas se réfugier derrière le simple devoir d'information pour laisser au malade ou à sa famille l'entière responsabilité de la décision. Le médecin doit donner son avis fermement. Or ce n'est pas toujours aisé. Car il est parfois très difficile d'apprécier le risque que l'on a le droit de prendre dans un traitement. Vous traitez une personne atteinte d'une maladie très grave mais le traitement a 30 % de chance d'aggraver la situation et 70 % de l'améliorer, qu'allez-vous faire ?

A.L. : C'est un pari. Et justement je crois que c'est un pari que le médecin n'a pas le droit de faire tout seul !

J.B. : Non, bien sûr, mais il y a un nombre non négligeable, peut-être un tiers de malades, qui se refusent à ce genre de conversation.

C.L. : *Que faire dans la situation opposée : c'est-à-dire non quand le malade refuse de discuter de son traitement mais quand, au contraire, il exige un traitement particulier qui ne vous satisfait pas ou qui n'a pas été correctement testé ? Je fais là allusion à certaines associations de malades que l'on a vues réclamer de nouveaux médicaments dont on n'avait pas encore mesuré l'efficacité...*

J.B. : C'est très difficile. Je comprends l'impatience des malades et de leur famille. Mais je l'ai déjà dit et je le redis : la recherche est lente. Il s'écoule toujours beaucoup de temps entre la découverte d'une nouvelle molécule et son utilisation. Et l'on ne peut s'exempter des essais nécessaires. Lorsque j'étais jeune interne à l'hôpital Cochin nous avons assisté à une véritable « épidémie » d'anémies graves, d'hémorragies, d'insuffisances de la moelle osseuse. Nous avons fini par comprendre que cette fréquence inhabituelle de désordres sanguins était due à l'emploi des sels d'or. Quelques années auparavant en effet une équipe scandinave avait préconisé les sels d'or pour le traitement de la tuberculose. Désarmés à l'époque contre ce fléau, de nombreux médecins s'étaient enthousiasmés un peu vite pour ce « médicament-miracle » et en avaient prescrit à tout va. Or on s'est aperçu qu'en fait les améliorations constatées étaient éphémères, que non seulement les sels d'or ne soignaient pas du tout la tuberculose mais qu'aux doses conseillées, ils étaient toxiques pour la moelle osseuse !

A.L. : L'impatience naturelle des malades est aussi la porte ouverte aux dérives. Je pense à la fille d'un de mes amis, atteinte d'un cancer du poumon extrêmement avancé, qui était allée consulter un charlatan de je ne sais plus trop quel pays de l'Est qui prétendait guérir ces cancers avec un médicament extrêmement inédit, extrêmement brutal et, bien entendu, extrêmement cher... Les gens désespérés se soumettent à toutes les escroqueries pour retrouver un espoir même ténu, c'est une réaction tout à fait normale. Ce qui l'est moins, c'est que nous sommes dans une société où les lois de bioéthique nous étouffent souvent dans un carcan trop étroit mais où, paradoxalement, on manque cruellement de lois contre le charlatanisme, les fausses médecines, les pseudo-traitements miraculeux...

Quand on entend des gens qui affirment que l'on peut guérir le sida avec des tisanes, les maladies infectieuses avec des impositions des mains... Quand on sait que des politiques de premier rang consultent des voyantes... Quand on voit arriver des patients atteints de péritonite chez le médecin alors qu'ils sont soignés depuis des semaines par un magnétiseur... C'est inacceptable !

J.B. : Cela m'inspire trois réflexions. Premièrement : depuis toujours les humains aiment la magie. Deuxièmement : beaucoup de gens aujourd'hui ont ou croient avoir des connaissances médicales. Troisièmement : un jour on traitera tout malade comme un être unique. Mais il faut du temps pour s'apercevoir des spécificités de chacun. Une des grandes difficultés de la médecine contemporaine est que les médecins sont bousculés, qu'ils n'ont plus le temps. Que ce soit le médecin de campagne qui travaille nuit et jour pour satisfaire les besoins de sa clientèle, le médecin de ville qui jongle avec les rendez-vous, le médecin hospitalier débordé par les urgences et le manque de moyens qui ne va plus jamais dans les familles. Or rien n'est plus dangereux qu'une médecine hâtive. Un jour, un médecin m'appelle auprès d'une vieille dame atteinte d'une anémie grave. Nous examinons le dossier pendant une demi-heure, formulons une hypothèse et à la fin le médecin me dit : « allons faire les gestes » : il veut parler de l'examen clinique censé confirmer l'hypothèse. Mais je ne m'arrête pas là et parle longuement à la patiente qui brusquement révèle un événement de son passé qui fiche par terre notre belle hypothèse... La vieille dame a survécu grâce à cela encore quelques années. Je crois beaucoup, beaucoup à l'entretien avec le malade. Ce que Georges Duhamel appelait joliment le colloque singulier. Rien ne le remplace, même les examens aussi sophistiqués soient-ils. Il est urgent de donner le bien le plus précieux aux médecins : le temps.

Tout ce qui est scientifique
n'est pas forcément éthique

« L'enjeu de la maîtrise du cerveau est autrement plus important que l'enjeu des maîtrises de la reproduction et de l'hérédité. La frontière est mince entre maîtriser le cerveau et dominer l'humanité... »

C.L. : *« Une femme, trop d'hommes. Qui est le père ? » est le slogan d'un talk-show américain. Les tests de paternité sont en effet la nouvelle lubie de ces émissions aux États-Unis. Devant les caméras et des millions de téléspectateurs : une femme, son enfant, le père présumé, un public censé représenter la vox populi dans cette affaire. Et un présentateur qui ouvre, en grande cérémonie, l'enveloppe envoyée par le laboratoire d'analyses : « Le père est... ou n'est pas... John ! » S'ensuit un gros plan sur le John en question désespéré de l'infidélité de son épouse, ravi d'échapper à la pension alimentaire, rassuré sur sa paternité... selon les cas de figure. Les couples s'inscrivent à ce genre d'émissions, peut-être par exhibitionnisme et certainement pour économiser les quelques centaines de dollars que coûtent ces analyses. Un avatar de plus de la « Trash-TV », direz-vous. Mais celui-ci a la particularité d'appeler la science à la rescousse, ce qui est moins courant. Que pensez-vous de cette utilisation de la génétique à la télévision ?*

A.L. : L'encadrement juridique réglementaire très strict des tests génétiques de paternité ne permet heureusement pas de telles stupidités dans la plupart des pays européens. Quand on sait que, dans beaucoup de capitales, le taux d'illégitimité biologique des paternités est très élevé, on doit penser que la « paternité sociale » est plus précieuse à préserver qu'une « paternité biologique » plus ou moins bien assumée. D'autant plus que certains « pères sociaux » abandonnent les enfants qu'ils élevaient avec amour le jour où ils apprennent officiellement leur non-paternité biologique, qu'ils soupçonnaient souvent, mais préféraient ignorer. La tendance actuelle à donner aux enfants, par des émissions racoleuses, l'envie d'enquêter sur leurs origines biologiques risque de détruire plus de familles unies qu'elle ne rétablira socialement des filiations biologiques reniées ou oubliées. Je suis convaincu qu'il ne faut pas pousser qui que ce soit à faire des recherches sur ses origines biologiques. Ce pourrait être un facteur de grand désordre social si ces pratiques se généralisaient.

J.B. : C'est tout à fait vrai ! À partir du

moment où mon ami Jean Dausset, à l'hôpital Saint-Louis, a découvert le système HLA, c'est-à-dire les groupes portés par les globules blancs et qui font de chacun de nous un être unique, nous avons pu déterminer très précisément qui était le père d'un nouveau-né. Or on s'est aperçu qu'un nombre très élevé d'enfants n'étaient pas du père officiel. Cela frise les 10 à 15 %, dans les grandes villes. Un nombre élevé même si on se limite au taux le plus bas. Seul un magistrat doit pouvoir ordonner une enquête génétique relative à une question de filiation. Et toutes les précautions devraient être prises pour s'assurer de la fiabilité des analyses et de l'utilisation des résultats. Prenons un exemple : un grand amour mutuel unit un petit garçon de cinq ans et son père. Les parents de l'enfant viennent à divorcer. La mère se remarie et l'étude des groupes HLA montre que l'enfant est en fait le fils du second mari, amant de longue date. Qui est le vrai père ? Le père affectif que l'enfant aime profondément, ou le père génétique ? À côté de la vérité biologique, il y a la vérité sociologique, la vérité affective, la vérité du cœur qu'on ne peut négliger.

C.L. : *À qui appartient cette vérité biologique : au patient ? Au médecin ? Pour élargir la question, chacun sait que déjà le fichier des empreintes génétiques tenu par la police prend des dimensions considérables. Demain les résultats de nos analyses génétiques tomberont-ils*

*dans les mains des employeurs, des assureurs qui
prendront prétexte de tel ou tel gène de prédisposition à une maladie pour refuser un emploi ou
pour augmenter les primes d'assurance ? La discrimination génétique nous pend-elle au nez ?*

J.B. : On peut légitimement se poser la question. Autrefois les mariages étaient préparés par
les notaires – les auteurs de comédies s'en sont
assez moqués – qui comparaient la dot de la jeune
fille avec les espérances du jeune homme avant
d'établir le contrat. Demain, ce rôle sera-t-il joué
par les généticiens qui apparieront au mieux la
jeune fille et le jeune homme en fonction de leur
système HLA ou qui interdiront l'union à cause
d'un éventuel risque que naisse un enfant comme
ci ou comme ça... ? Je ne sais pas. Une des questions qui se posent déjà est celle de la discrimination à l'embauche : un employeur a-t-il le droit
de refuser d'engager quelqu'un à cause de ses
gènes ? Je ne crois pas. D'abord parce qu'en
dehors de quelques maladies génétiques graves,
la plupart des gènes qui pourraient les intéresser
sont des gènes de susceptibilité. Par exemple les
gens qui appartiennent aux groupes HLA DR3 et
DR4 font plus souvent un diabète juvénile que
les autres. Mais il ne s'agit que d'une prédisposition : la maladie ne se déclenchera qu'en fonction
de certains facteurs de l'environnement comme
l'alimentation. Il n'est donc pas éthiquement
acceptable qu'un employeur possède des rensei-
gnements d'ordre génétique sur les candidats

qu'il souhaite embaucher. La seule exception que l'on pourrait envisager est par exemple celle de la personne qui présenterait une fragilité particulière à un produit chimique qu'elle utiliserait dans son cadre professionnel. Mais là encore je suis très réservé. J'ai toujours beaucoup insisté pour qu'aucune loi ne permette une telle discrimination car beaucoup de facteurs entrent en compte : la fragilité en question peut être plus ou moins grande, la misère de ne pas avoir de travail doit aussi être prise en considération.

A.L. : Effectivement les situations sont très hétérogènes. N'oublions pas que, dans certaines professions, on opère depuis toujours une sélection en fonction des caractéristiques physiques des candidats : les aveugles et les malvoyants ne peuvent être pilotes d'avions, les sourds sont rarement chefs d'orchestre, et il est très difficile pour une femme d'1,50 m de devenir mannequin ou même hôtesse d'accueil... Pour autant, il ne faut jamais perdre de vue les principes de base de la déclaration des droits de l'homme qui visent, autant que possible, à assurer à chacun l'égalité des chances et l'égalité des droits... Dans l'avenir il faudra être particulièrement vigilant dans le domaine des assurances-santé. On sait, par exemple, que certaines anomalies génétiques donnent un risque d'accidents cardio-vasculaires très supérieur à la « normale ». On n'imagine pas aujourd'hui que notre Sécurité sociale, à l'instar des assurances privées américaines, fasse payer de plus grosses cotisations aux individus « à risque ». Ce serait contraire au principe de solidarité.

J.B. : Bien sûr, mais dans le même temps on peut espérer que les progrès de la connaissance permettent une bien meilleure médecine de prévention : sachant que M. Untel est génétiquement prédisposé aux maladies cardio-vasculaires, on pourra lui prescrire un régime alimentaire et des exercices physiques adaptés pour juguler au maximum le risque d'accident. De même, on pourra préconiser un type d'alimentation aux sujets à risque de diabète, ou tel autre aux sujets prédisposés à certains cancers...

C.L. : *Est-ce un rêve ou un cauchemar que vous décrivez là ? Le rêve de prendre sa santé en main et d'éviter les maladies le plus longtemps possible ou le cauchemar d'un monde où chacun sera socialement condamnable s'il boit un verre de trop, fume une cigarette, se régale de fromage et de chocolat alors qu'il est menacé par le cholestérol, refuse de manger des tomates alors qu'il risque le cancer de la prostate, etc. ?*

A.L. : Pourquoi faire l'amalgame entre des progrès techniques en cours et l'utilisation perverse de leurs résultats par une société totalitaire et dépourvue de tout respect éthique de ses membres ? Il ne faut pas voir tout en noir et renforcer l'idée vieille comme nos civilisations que tout progrès nous menace. Les avancées dans la connaissance du génome et plus encore dans le domaine de la génétique des populations nous offrent de formidables perspectives, par exemple dans le domaine des applications pratiques de la connaissance de la variabilité génétique de la réponse à un médicament. Je m'explique : aujourd'hui on calcule les doses de médicament au kilo de patient. Vous le voyez très bien lorsque vous donnez un antibiotique ou un antalgique à un enfant : vous lui donnez une dose pour dix-huit kilos ou une dose pour vingt-cinq kilos. Or on sait très bien que lorsque l'on donne la même dose à des patients de même poids, le lendemain l'un aura quatre fois plus de médicament dans le sang que le deuxième, qui en aura lui-même deux fois moins que le troisième, etc. Car tous ne sont pas génétiquement programmés pour produire la même quantité d'enzymes capables de dégrader le médicament en question. Cela veut dire que la même dose sera toxique pour l'un, traitera le troisième et ne fera rien du tout au deuxième parce que la dose sera insuffisante pour lui. Idéalement on va vers une médecine à la carte où l'on commencerait, avant de soigner, par faire des tests génétiques – au moins dans les cas où ça vaut la peine – pour savoir quelle serait la réaction du malade et ajuster au mieux le traitement.

J.B. : Vous avez tout à fait raison. Il y a trente ou quarante ans, je vous aurais dit que nous allions vers une médecine collective, grégaire. C'est tout à fait le contraire qui se produit : nous allons vers une médecine individuelle qui considère le patient comme un être unique, différent de tous les autres. C'est en suivant cette voie que peut-être nos successeurs réussiront là où nous avons échoué : je veux parler des maladies de gravité moyenne. Si vous considérez l'ensemble des maladies mortelles, vous remarquez, dans la plupart des cas, d'importants progrès dans les traitements depuis quelques décennies. Mais si vous vous intéressez à la sciatique ou à la fatigue chronique : force est de constater que la situation n'est pas vraiment meilleure qu'il y a cent ans.

Dans mon domaine, par exemple, on rencontre un trouble extrêmement fréquent : la leucopénie, la baisse des globules blancs... Énormément de gens consultent parce que leurs analyses indiquent deux mille ou trois mille globules blancs par millimètre cube au lieu de six mille comme tout le monde. Mais nous n'y comprenons strictement rien. Vous me direz que la leucopénie n'est pas mortelle. Certes. Mais les gens atteints sont fatigués, ont des douleurs... parfois pendant des années ! Un journaliste m'a un jour demandé en direct à la télévision : « Si vous aviez vingt ans aujourd'hui que feriez-vous ? » Un bon ange m'a soufflé la réponse : je m'attaquerais aux maladies de gravité moyenne. Car ce n'est pas tout d'empêcher les gens de mourir, encore faut-il leur assurer une vie acceptable !

A.L. : Mais derrière ces maladies de gravité

moyenne ne se cache-t-il pas surtout des maladies de civilisation, des maladies comportementales ? Beaucoup de gens ont un mode de vie mal adapté : ils mangent mal, dorment mal, boivent trop, fument, et ont des rythmes d'activités qui ne leur conviennent pas. Ils passent leur nuit sur Internet et ne font pas de sport... D'autre part beaucoup de maladies résultent aussi de situations vécues : accidents historiques comme un deuil ou une rupture amoureuse. Accidents professionnels : chômage, harcèlement... Et toutes ces maladies ne sont pas véritablement traitables par la médecine habituelle.

J.B. : Parce que nous n'y comprenons rien ou presque : on observe d'un côté le mode de vie, les événements. De l'autre les états pathologiques du malade. Mais nous sommes très ignorants de ce qui se passe entre les deux : le mystère demeure quant à la manière dont l'organisme se modifie sous l'influence des événements.

Pourquoi en savons-nous si peu ? Parce que pour les maladies graves les progrès sont issus de la biologie et des recherches expérimentales qui ne sont fondées que sur des cas très extrêmes : on a créé chez l'animal des anémies très importantes, mais les souris leucopéniques restent à trouver.

C.L. : *À propos des souris. Les expériences sur les animaux seront-elles encore nécessaires demain ? Ne pourrait-on mettre au point des solutions alternatives ? Seront-elles encore possi-*

bles ? L'attitude de la société sur la vivisection a beaucoup changé. Claude Bernard, le père de la physiologie, écrivait en 1865 « le physiologiste n'est pas un homme du monde, c'est un savant, c'est un homme qui est saisi et absorbé par une idée scientifique qu'il poursuit : il n'entend plus les cris des animaux, il ne voit plus le sang qui coule, il ne voit que son idée et n'aperçoit que des organismes qui lui cachent des problèmes qu'il veut découvrir. (...) et comme il est impossible de satisfaire tout le monde, le savant ne doit avoir souci que de l'opinion des savants qui le comprennent, et ne tirer de règle de conduite que de sa propre conscience »... Des propos qui ne seraient plus acceptables pour grand monde aujourd'hui !

A.L. : De Claude Bernard nous conservons l'obstination, la rigueur, la démarche scientifique. Et nous continuons à expérimenter sur les animaux. La grande différence est que, loin de rester sourds aux cris des cobayes, nous cherchons à minimiser les souffrances des animaux. Nous en utilisons le moins possible. Et nous choisissons plutôt ceux auxquels on s'identifie le moins lorsque cela ne change pas l'issue de la recherche. En résumé : dans la mesure du possible on préfère la souris au singe, la drosophile et le nématode à la souris.

J.B. : Ce qui nous a longtemps maintenus dans la tradition de Claude Bernard et opposés à toutes les critiques que l'on pouvait recevoir était que l'on faisait une formidable différence entre l'animal et l'homme. Notre rôle était d'améliorer la santé des êtres humains, des enfants pour ma part, et nous étions complètement indifférents à ce qui pouvait tourmenter les animaux. Que de fois j'ai conduit des recherches sur soixante voire cent souris atteintes de leucémie sans du tout m'occuper du bien-être des rongeurs... et nous avons été très surpris lorsque sont arrivées les premières contestations.

Aujourd'hui, bien sûr, nous prenons en compte la souffrance animale.

A.L. : Je parie que les personnes qui étaient très critiques sur les quelques souris que vous avez malmenées seraient parmi les premières à utiliser un poison atroce pour dératiser à la première invasion de rongeurs dans leur cave... Sans faire de mauvais esprit, je crois qu'on ne peut hésiter une seconde entre la vie d'un animal et la vie d'un être humain. Pour autant, il faut toujours essayer d'atténuer les souffrances et éviter les expériences inutiles, cruelles et outrancières. Celles, très brutales, effectuées pour mettre au point certains cosmétiques m'insupportent totalement.

J.B. : Aujourd'hui les progrès sont tels que l'expérimentation animale n'est plus toujours nécessaire. Pour parler des maladies de l'hémoglobine, que je connais bien : ce sont des maladies spécifiques à l'homme auxquelles l'étude sur l'animal n'apportait rien et ce sont les chimistes qui ont trouvé les traitements.

Je crois que souvent le progrès des connaissances élimine les problèmes éthiques. Ainsi, l'année qui a suivi la création du CCNE, un magistrat lyonnais a sollicité notre avis : un éminent chercheur proposait la greffe de foie prélevé à un fœtus mort pour soigner certains graves déficits immunitaires du nouveau-né. Il était attaqué devant le tribunal de Lyon par des représentants de familles spirituelles qui craignaient que cette méthode n'aboutisse à une augmentation des avortements. À l'époque notre avis fut d'autoriser cette pratique dans le cadre précis du traitement de nouveau-nés en grand danger, à l'exclusion de tout autre objectif. Récemment, les indications de greffe de foie fœtal ont été réduites au profit de la greffe de moelle osseuse, qui pose beaucoup moins de problème éthique puisque la moelle se prélève sur des donneurs vivants et qu'elle se régénère rapidement. Ainsi une évolution scientifique a limité un problème moral. Et on peut espérer qu'avec les progrès des connaissances et de la médecine de prévention, on n'aura plus besoin de faire des greffes, ni de créer d'embryons surnuméraires pour les FIV, etc.

C.L. : *Vous êtes donc optimiste ?*

J.B. : C'est que j'ai vu disparaître des maladies. L'aventure de l'anémie pernicieuse par exemple est tout à fait formidable. Aujourd'hui plus personne n'en parle parce que, dès qu'on a su la guérir, la maladie a disparu ! Alors que j'ai connu le temps où elle était mortelle. Quand j'étais jeune interne, dans les services d'hématologie, sur soixante lits on comptait huit ou neuf anémies pernicieuses qui mouraient dans l'année. Le premier espoir est venu d'une découverte américaine : le foie de veau cru peut guérir l'anémie pernicieuse. Le premier article de médecine que j'ai écrit était en fait un article de cuisine : quelques recettes pour faire avaler trois cents grammes de foie de veau cru par jour aux malades ! Ensuite un autre chercheur a montré que le foie cuit marchait aussi bien. C'était tout de même bien plus agréable pour les patients.

Quelques années plus tard, une équipe franco-américaine a trouvé que les extraits de foie pouvaient remplacer le foie. Enfin deux chercheurs américains ont découvert la vitamine B12. Il ne suffisait plus alors que de deux ou trois injections pour guérir le malade à coup sûr. Mais paradoxalement la maladie a disparu. Peut-être grâce à l'amélioration de l'alimentation : la vitamine B12 se trouve principalement dans la viande et beaucoup de gens de condition modeste en mangeaient très peu.

A.L. : Je trouve que les plus beaux résultats de la médecine sont ceux qui permettent d'éviter la maladie ou de guérir sans interventions lourdes ou pharmacie excessive extrême, par de simples changements ou régulations de la vie quotidienne.

C.L. : *Et quels sont, d'après vous, les principaux échecs de la recherche, les questions qui résistent à tous les progrès techniques ? Rien ne vous inquiète ?*

J.B. : Si, la maîtrise du cerveau. C'est par le cerveau, par son aptitude à apprendre, à créer que l'homme se distingue de l'animal. *Cogito ergo sum !* Et c'est bien la mort du cerveau qui définit la mort de l'homme. Parviendrons-nous à comprendre le fonctionnement du système nerveux central ? À le maîtriser ? Deux hypothèses : soit nous n'y arriverons jamais car nous ne pouvons être à la fois sujet et objet. Toute tentative est vouée à l'échec. Soit, avec le temps, nous découvrirons les ultimes rouages biologiques de la pensée. Mais pour l'instant il nous manque l'homme de génie, le concept révolutionnaire comme l'a été le concept de microbe au temps de Pasteur pour les maladies infectieuses.

Si la deuxième hypothèse est la bonne, on peut à la fois se réjouir et s'inquiéter. Car l'enjeu de la maîtrise du cerveau est autrement plus important que l'enjeu des maîtrises de la reproduction et de l'hérédité dont nous avons beaucoup parlé au cours de ces entretiens. La frontière est mince entre maîtriser le cerveau et dominer l'humanité. Je m'explique : on sait depuis longtemps que la boisson trouble les cervelles faibles, que quelques grammes d'extrait thyroïdien transforment la plus aimable des femmes en horrible mégère. Ce qui est nouveau, c'est la connaissance précise de la complexité, de la diversité et de la spécificité de l'action qu'exercent sur le cerveau de nombreuses substances chimiques. D'où l'extrême vigilance qu'il faut conserver, notamment dans le domaine de la psychopharmacologie. Mais la découverte de toute une série de psychotropes, la connaissance toujours plus fine des messagers chimiques du cerveau... ouvrent de formidables perspectives dans le traitement des troubles graves de l'esprit : psychose, schizophrénie, dépression...

C.L. : ... *et aujourd'hui nous consommons une quantité formidable de petites pilules du bonheur...*

J.B. : ... et demain votre époux, qui vous trouvera trop agitée ou trop calme glissera, à votre insu, dans votre verre quelques gouttes d'une substance qui lui donnera la femme qu'il souhaite ! Pire : si le dictateur du futur, le Hitler du XXIe siècle, décide, pour les besoins de sa politique, de transformer ses concitoyens en tigres ou en moutons, il n'aura qu'à introduire quelques molécules efficaces dans leur alimentation pour disposer de quatre-vingts millions de tigres ou de quatre-vingts millions de moutons ! Qu'on ne dise pas la chose impossible : c'est déjà fait. Ou presque. Le gouvernement helvétique, qui ne passe pas pour être totalitaire, a introduit, sans le dire, de l'iode dans le sel de cuisine.

L'intention était louable : il s'agissait de lutter contre le goitre observé dans les populations des hautes vallées suisses. Le goitre a disparu. Mais l'expérience n'est pas rassurante.

C.L. : *Comment se protéger face à de tels risques ? Vous qui n'êtes, ni l'un ni l'autre, favorables à l'élaboration de lois de bioéthique, quels garde-fous imaginez-vous pour le futur ?*

A.L. : Je pense que c'est une affaire d'éthique politique et sociale, et non une affaire de bioéthique. L'exercice de la démocratie suppose que les citoyens soient informés de presque tout ce qui les concerne, que tout ce qui est explicable soit accessible en des termes que tout le monde peut comprendre. Dans cette affaire d'iode, rien n'était difficile à expliquer et seule une minorité d'imbéciles aurait pu contester une mesure évidente de santé publique. Pour une fois, un gouvernement pouvait faire quelque chose qui ne coûtait presque rien et avait des résultats garantis, positifs et spectaculaires. Une occasion rêvée de démontrer l'efficacité si contestée des politiques. C'est étonnant qu'ils l'aient ratée au nom d'un secret stupide ! Mais en ce qui me concerne, j'ai beaucoup plus de craintes concernant l'emprise des médias et je répète, chaque fois que je peux, que les manipulations médiatiques dont je suis aussi le témoin m'inquiètent infiniment plus que les manipulations génétiques.

La façon dont on exacerbe les réflexes nationalistes à travers les sports ou dont les États totalitaires et néo-libéraux manipulent ou laissent manipuler l'information par des multinationales irresponsables m'inquiète beaucoup plus que le lâcher éventuel de substances neuro-actives dans l'eau de boisson. Même si les sprays odorants des boulangeries et des supermarchés attaquent déjà notre inconscient à notre insu pour nous faire acheter ce dont nous n'avons souvent que faire...

J.B. : Je pense que c'est une question de temps. On ne trouve jamais la bonne solution sur le moment. Mais peu à peu, en alliant la recherche et l'éducation des gens, on arrive à un dénouement satisfaisant sur le plan de l'éthique et de la science.

C.L. : *Vous parlez d'éducation, mais croyez-vous qu'aujourd'hui la formation des futurs médecins et des futurs chercheurs laisse assez de place à l'éthique, à la réflexion, à l'histoire de leur discipline et des sciences en général... ?*

J.B. : Sûrement pas. Mais justement il serait souhaitable que la bioéthique soit enseignée très tôt dans le cursus des études. Et qu'il y ait une formation permanente pour les médecins, les infirmiers et les chercheurs en place. Qu'ils soient biologistes, juristes, philosophes...

A.L. : Le problème est qu'il faut inventer

cette formation. Il faut l'inventer pour tout le monde. Pour les médecins mais aussi pour les malades qui doivent être informés, sinon ils ne pourront pas être partenaires, pour les chercheurs bien sûr... mais les programmes d'études sont déjà surchargés. On « fabrique » des gens de plus en plus spécialisés... très compétents mais qui trop souvent manquent de recul, d'ouverture, d'une vue un peu large sur leur discipline.

J.B. : Jusqu'à très récemment, l'enseignement de la bioéthique au cours des études de médecine était totalement inexistant. Certains étudiants avaient la chance de rencontrer des professeurs férus de ces questions. Mais rien n'était formalisé. Depuis quelques années, certaines facultés se sont ouvertes à ces problèmes. Mais pour avoir fait quelques cours, je peux dire que l'ignorance des étudiants est stupéfiante sur ces questions. Je crois que la faute en revient à l'enseignement secondaire... les garçons et les filles de quatorze ans sont tout à fait capables de comprendre l'importance des problèmes de bioéthique qui vont gouverner leur vie. Les professeurs de biologie, de philosophie, d'histoire devraient enseigner la bioéthique dès la 4e. Évidemment il ne serait pas question d'enseigner une bioéthique d'État : il conviendrait d'exposer avec objectivité les données biologiques, d'expliquer la nature des questions bioéthiques posées, d'éviter toute adhésion à telle famille d'esprit et aux rigidités qui en découlent. Et de commenter avec impartialité des positions morales variées...

A.L. : Tout à fait d'accord ! Mais pour cela, il faudrait donner dans le secondaire une initiation à la médecine et à ses pratiques ! Pendant plusieurs années, je me suis battu dans certains conseils des programmes pour que l'institution scolaire prenne ses responsabilités et fasse que le savoir médical soit plus partagé... ne serait-ce que pour éviter les ravages de l'automédication. Et aussi pour préparer les jeunes au débat éthique. Sans succès.

J.B. : Je le sais bien : lorsqu'on aborde ces questions dans les ministères, on reçoit beaucoup de paroles aimables. Qui ne débouchent sur rien. Ah, si nous étions tous les trois dictateurs nous arrangerions les choses !... Plus sérieusement je crois qu'aujourd'hui les médias jouent un rôle essentiel dans la formation des citoyens. Or tous les citoyens sont concernés par les questions éthiques. Je vais citer Noëlle Lenoir : « Simplifier les données complexes sans en altérer le sens, donner à comprendre les problèmes à résoudre à des publics de niveaux culturels très différents n'est pas une tâche aisée. Il n'empêche. Le droit de regard de la société sur les retombées de la science est une des obligations de la démocratie. Il ne peut être exercé que dans un face-à-face entre scientifiques et citoyens. »

A.L. : Je souscris totalement à ces bonnes paroles, mis à part que, pour des raisons de temps et d'effectifs réciproques, le face-à-face direct permanent entre scientifiques et citoyens n'est pas une idée réaliste. Sans compter que les bons scientifiques sont rarement de bons communicateurs, malgré les remarquables exceptions, chouchoutées par les médias... et qui ne sont pas toujours, de loin, de bons scientifiques ! On tombe donc ici dans le problème plus vaste, déjà évoqué, du choix et du contrôle de l'information communiquée au grand public, question complexe où des problèmes d'éthique bien plus larges et totalement irrésolus à ce jour menacent gravement l'idéal de démocratie et de libre circulation des idées si souvent affiché, si rarement pratiqué.

J.B. : Je serai plus optimiste et ferai le pari que les jeunes générations sauront résoudre ces questions... si nous prenons aujourd'hui le problème de l'éducation à bras le corps. Reprenons cette conversation dans cinquante ou cent ans, nous verrons si j'ai raison...

Annexes

1. Le serment d'Hippocrate
(traduction d'Émile Littré, 1844)

« Je jure par Apollon médecin, par Esculape, par Hygie et Panacée, par tous les dieux et toutes les déesses, les prenant à témoin, que je remplirai, suivant mes forces et ma capacité, le serment et l'engagement suivants :

« Je mettrai mon maître de médecine au même rang que les auteurs de mes jours, je partagerai avec lui mon avoir et, dans la nécessité, je pourvoirai à ses besoins ; je tiendrai ses enfants pour des frères, et s'ils désirent apprendre la médecine, je la leur enseignerai sans salaire ni engagement.

« Je ferai part des préceptes à mes fils, à ceux de mon maître et aux disciples liés par un engagement et un serment médical, mais à nul autre.

« Je dirigerai le régime des malades à leur avantage, suivant mes forces et mon jugement, et je m'abstiendrai de tout mal et de toute injustice.

« Je ne remettrai à personne du poison si on

m'en demande, ni ne prendrai l'initiative d'une telle suggestion ; semblablement, je ne remettrai à aucune femme un pessaire abortif.

« Je passerai ma vie et j'exercerai mon art dans l'innocence et la pureté.

« Je ne pratiquerai pas l'opération de la taille, même sur ceux qui souffrent de la pierre, je la laisserai aux gens qui s'en occupent.

« Dans quelque maison que j'entre, j'y entrerai pour l'utilité des malades, me préservant de tout méfait volontaire et corrupteur, et surtout de la séduction des femmes et des garçons, libres ou esclaves.

« Quoi que je voie ou que j'entende dans la société, pendant l'exercice ou même en dehors de l'exercice de ma profession, je tairai ce qui ne doit jamais être divulgué, le regardant comme un secret.

« Si je remplis ce serment sans l'enfreindre, qu'il me soit donné de jouir heureusement de la vie et de ma profession, honoré à jamais parmi les hommes ; si je le viole et que je me parjure, puissé-je avoir un sort contraire. »

2. La première semaine d'un embryon humain dans l'utérus maternel

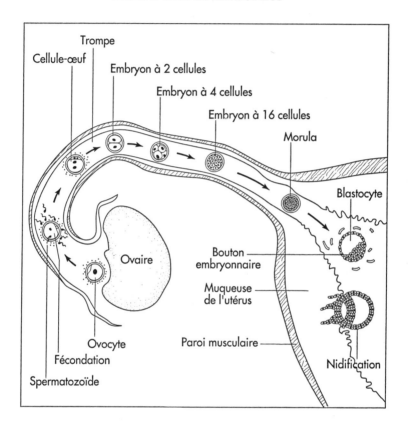

Tous les 28 jours environ l'ovaire libère un ovocyte mature. Dans les 36 à 48 heures suivantes peut avoir lieu la fécondation : un spermatozoïde et un seul parmi les millions éjectés lors d'un rapport sexuel pénètre dans l'ovocyte... formant ainsi la cellule-œuf... qui se divise en 2 au bout de 30 heures... puis en 4 (40 heures)...

... et ainsi de suite. L'embryon compte 16 cellules à 3 jours environ.

La morula de 4 jours rentre dans la cavité utérine et évolue... en blastocyte vers 5 jours (début du bouton embryonnaire).

Le blastocyte commence à s'implanter dans la muqueuse utérine à partir du sixième jour, approximativement.

Jusqu'au quatrième jour (stade morula) toutes les cellules de l'embryon sont totipotentes : chacune est théoriquement susceptible de donner un individu complet.

Au stade blastocyte (cinquième au septième jour), les cellules du bouton embryonnaire constituent les fameuses cellules souches embryonnaires ou cellules ES capables d'engendrer n'importe quel tissu de l'organisme (peau, foie, muscles, neurones, etc.). Ce sont elles qui intéressent les chercheurs. Ensuite les cellules de l'embryon se spécialisent peu à peu et se mettent en place dans les différents organes de l'individu. On retrouve quelques cellules souches chez l'adulte dont les capacités de différenciation sont moindres.

Dans l'utérus maternel l'embryon peut se diviser en deux (voire plus) pour former des jumeaux vrais jusqu'au treizième jour. Si la séparation est plus tardive, on assiste à la naissance de siamois.

3. Le développement de l'embryon

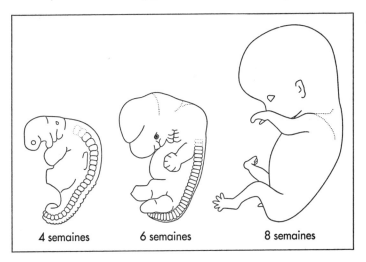

4 semaines   6 semaines   8 semaines

À 8 semaines l'embryon mesure moins de deux centimètres. À 12 semaines il atteint 3 cm et devient un fœtus. À ce stade les avortements spontanés se font rares et c'est à partir de ce moment que débute la migration des neurones vers leur localisation définitive.

4. Les religions et l'embryon

D'après le tableau de Djenane Kareh Tager réalisé pour *Actualités des religions*, n° 26, avril 2001.)

	CATHOLIQUES	PROTESTANTS	ORTHODOXES
Avortement	Très fermement refusé : la vie humaine commence dès la conception.	Possible en cas de détresse, dans la majorité des Églises protestantes.	Interdit sauf dans des situations de détresse (vie de la mère en danger).
Insémination artificielle avec donneur	Refusée.	Autorisée par la majorité des Églises protestantes.	Interdite.
Don d'ovule	Refusé.	Autorisé par la majorité des Églises protestantes.	Interdit.
Fécondation *in vitro* (bébé éprouvette)	Refusée.	Autorisée par la majorité des Églises protestantes.	Autorisée s'il n'y a pas don d'ovule ou de sperme (Fiv homologue).
Embryons surnuméraires	Refus de toute forme de fécondation *in vitro* menant à la création d'embryons surnuméraires. Refus de la conservation de ces embryons.	Congélation admise, mais pour pallier la stérilité du couple.	Pas de position officielle.
Expériences sur l'embryon	Très fermement refusées.	Doivent être strictement encadrées et avoir une visée thérapeutique.	Interdites, l'embryon est un être humain en perspective, il ne peut être considéré comme un objet ni comme un produit commercialisable.
Clonage humain à fins thérapeutiques	Très fermement refusé, l'embryon ne pouvant être assimilé à un pur matériau de recherche, même à visée thérapeutique.	Envisageable au cas par cas, dans l'intérêt du progrès de la médecine et sous contrôle.	Le clonage d'une cellule ou d'un tissu est autorisé. Le clonage d'un individu est condamné.
Clonage humain reproductif	Très fermement refusé, comme tout mode reproductif qui n'est pas le fruit de la relation sexuelle entre un homme et une femme.	Condamné, mais quelques Églises laissent une porte entrouverte.	Interdit.

JUIFS	MUSULMANS	BOUDDHISTES	
Autorisé avant le 40ᵉ jour en cas d'indication thérapeutique.	Interdit. L'embryon recèle une promesse de vie humaine.	Interdit sauf pour des cas extrêmes, dans l'intérêt de la mère ou s'il y a de graves risques pour l'enfant.	**Avortement**
Interdite en règle générale.	Refusée parce que s'opposant à la loi naturelle.	Autorisée.	**Insémination artificielle avec donneur**
Interdit en règle générale.	Refusé parce que s'opposant à la loi naturelle.	Autorisé.	**Don d'ovule**
Autorisée s'il n'y a pas don d'ovule ou de sperme (Fiv homologue), et si la preuve catégorique d'une nécessité médicale a été établie.	Autorisée s'il n'y a pas don d'ovule ou de sperme hors de la parenté (Fiv homologue).	Autorisée à condition qu'il n'y ait pas d'embryons surnuméraires. Ce qui n'est pas le cas pour l'instant.	**Fécondation *in vitro* (bébé éprouvette)**
Congélation, destruction et manipulation à caractère bénéfique autorisées.	Conservation interdite, sauf en cas de « nécessité absolue » engageant la responsabilité du médecin.	Congélation et destruction interdites.	**Embryons surnuméraires**
Autorisées, l'embryon en éprouvette ne bénéficie pas des droits de protection accordés à l'embryon *in utero*.	En principe interdites. Tolérées si elles sont le seul moyen offert par la science pour sauver des vies ou traiter une anomalie.	Refus de créer des embryons à cette fin. Mais c'est la moins mauvaise utilisation pouvant être faite des embryons surnuméraires en stock.	**Expériences sur l'embryon**
Autorisé comme tout autre acte thérapeutique à caractère bénéfique.	Le clonage d'une cellule ou d'un tissu est autorisé. Le clonage d'un individu est condamné, quel qu'en soit l'objectif.	Interdit, le début de la vie commençant dès la fécondation.	**Clonage humain à fins thérapeutiques**
Autorisé en cas de stérilité avérée et définitive des époux.	Très fermement interdit. L'homme ne peut pas se substituer au Créateur pour donner la vie.	Autorisé sous réserve de non modification du patrimoine génétique.	**Clonage humain reproductif**

5. Le clonage humain

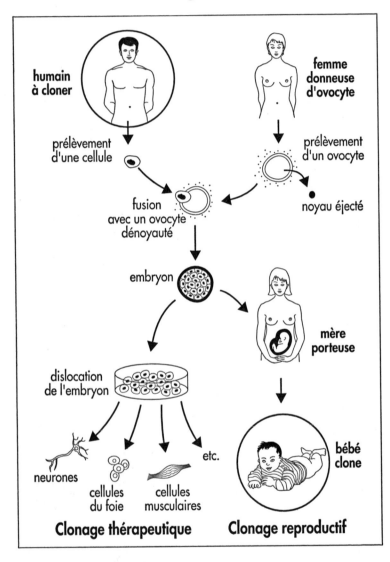

humain à cloner

femme donneuse d'ovocyte

prélèvement d'une cellule

prélèvement d'un ovocyte

fusion avec un ovocyte dénoyauté

noyau éjecté

embryon

mère porteuse

dislocation de l'embryon

neurones

cellules du foie

cellules musculaires

etc.

bébé clone

Clonage thérapeutique

Clonage reproductif

Ce volume a été composé
par Nord Compo
et achevé d'imprimer en février 2003
*par **Bussière Camedan Imprimeries***
à Saint-Amand-Montrond (Cher)
pour le compte des éditions Lattès

N° d'Édition : 36231. – N° d'Impression : 030645/4.
Dépôt légal : février 2003.

Imprimé en France